CHRISTOPHER
ISHERWOOD

SAMOTNY MĘŻCZYZNA

Z angielskiego przełożył
Jan Zieliński

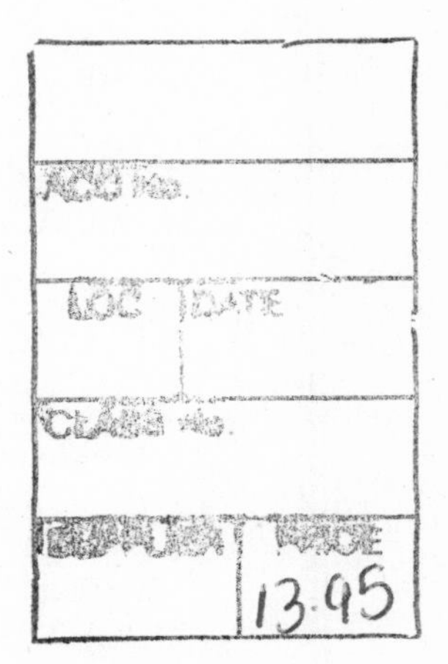

Tytuł oryginału
A SINGLE MAN

Redakcja techniczna
Agnieszka Gąsior

Korekta
Elżbieta Jaroszuk
Alicja Chylińska

Świat Książki
Warszawa 2010

Świat Książki Sp. z o.o.
ul. Rosoła 10, 02-786 Warszawa

Skład i łamanie
WERS

Druk i oprawa
OPOLGRAF S.A.

ISBN 978-89-247-2045-3
Nr 7828

Przebudzenie zaczyna się od powiedzenia jestem i teraz. Przebudzone coś leży wówczas przez jakiś czas, wpatrując się najpierw w sufit, potem patrząc na siebie, aż rozpozna swoje ja i wyciągnie wnioski: ja jestem, ja jestem teraz. Dopiero potem przychodzi tutaj, dodając, choćby pośrednio, odwagi: ponieważ coś spodziewało się, że tego ranka będzie tutaj, inaczej mówiąc – w domu.

Ale teraz to nie tylko teraz. Teraz jest też przypomnieniem: oto cały jeden dzień upłynął od wczoraj, oto cały jeden rok upłynął od zeszłego roku. Każde teraz jest opatrzone nalepką z datą, unieważnia wszelkie poprzednie teraz do czasu, gdy prędzej lub później, może, nie może, z całą pewnością i ono przeminie.

Nerw błędny skręca się z przerażenia. Niezdrowy skurcz na myśl o tym, co nas czeka gdzieś tam, w perspektywie śmierci.

Tymczasem szare komórki, ten ponury stróż porządku, obejmują kontrolę nad głównymi organami i zaczynają je sprawdzać, jeden po drugim: nogi się wyciągają, krzyż wygina, palce zaciskają i rozprostowują. Następnie przez cały system wewnętrznej komunikacji przechodzi pierwszy ogólny rozkaz dnia: WSTAWAĆ.

Ciało posłusznie dźwiga się z łóżka – wzdrygając się z powodu rwania w zreumatyzowanych kciukach i w lewym kolanie, czując lekkie mdłości wskutek skurczu odźwiernika – i wlecze się do łazienki, gdzie opróżnia pęcherz i daje się zważyć: wciąż trochę powyżej siedemdziesięciu kilo, mimo wyczerpujących ćwiczeń w sali gimnastycznej! Potem do lustra.

Widzi tam nie tyle twarz, ile raczej świadectwo prawdy. Oto, co ze sobą zrobiło, oto cały śmietnik, jaki wkradł się tu w ciągu pięćdziesięciu ośmiu lat, zawarty w otępiałym, zasmuconym wzroku, w zwyczajnym nosie, w kącikach ust wykrzywionych w grymasie, jakby od kwasu własnych toksyn, w policzkach, zwisających na zaczepach mięśni, w zwiotczałej brodzie, z pomarszczonymi fałdami. Zasmucony wzrok jest spojrzeniem krańcowo wyczerpanego pływaka lub biegacza – nie ma wszakże mowy o odpoczynku. Osoba, którą obserwujemy, będzie walczyła, póki nie padnie. Nie żeby była bohaterem. Po prostu nie umie sobie wyobrazić innego wyjścia.

Wpatrując się w lustro, dostrzega w swojej twarzy wiele innych twarzy – twarz dziecka, chłopca, młodzieńca, niezbyt już młodego mężczyzny – wszystkie nadal obecne, zachowane jak skamieliny w nałożonych na nie warstwach, i jak skamieliny martwe. Ich przesłanie dla tej umierającej za życia osoby brzmi: popatrz na nas, myśmy umarły, czego się bać?

Odpowiedź brzmi: ale to się dokonywało stopniowo, łagodnie. A JA SIĘ LĘKAM POŚPIECHU.

Ciało patrzy i patrzy, wargi się rozchylają. Zaczyna oddychać przez usta. Wreszcie szare komórki beznamiętnie każą mu umyć się, ogolić, uczesać. Trzeba okryć jego nagość. Trzeba włożyć ubranie, ponieważ wychodzi z domu, idzie w świat innych ludzi, a ci inni powinni umieć je zidentyfikować. Jego zachowanie musi być dla nich do przyjęcia.

Posłuszne, myje się, goli i czesze, ponieważ uznaje swoje obowiązki względem innych. Nawet się cieszy, że ma wśród nich swoje miejsce. Wie, czego się od niego oczekuje.

Zna swoje imię. Na imię mu George.

Skoro już się ubrało, stało się nim, stało się mniej lub bardziej George'em – chociaż jeszcze nie całym George'em, jakiego ludzie oczekują i jakiego skłonni są rozpoznawać. Ci, co dzwonią do niego o tej wczesnej godzinie, zdziwiliby się, a może nawet przestraszyli, gdyby się zorientowali, że mówią do istoty w trzech czwartych tylko ludzkiej. Ale oczywiście się nie zorientują – tak doskonale naśladuje ona głos ich George'a. Nawet Charlotte daje się nabierać.

Tylko dwa albo może trzy razy wyczuła coś osobliwego i spytała:

– Geo, czy z tobą wszystko w porządku?

Przemierza pierwszy pokój, który nazywa swoim gabinetem, i schodzi po schodach. Schody są kręte, stopnie mają wąskie i strome. Schodząc, można łokciami dotykać obu barierek i trzeba pochylić głowę, nawet jeśli – jak George – ma się tylko metr siedemdziesiąt. To mały, przemyślnie zaplanowany domek. Jego niewielkie rozmiary działają opiekuńczo: nie ma tu nawet dość miejsca na to, by czuć się człowiekiem samotnym.

Niemniej jednak...

Jeśli pomyśleć o dwóch osobach, które mieszkają razem dzień w dzień, rok w rok, w tej małej przestrzeni, stojąc łokieć w łokieć, gotując na jednej małej kuchence, mijając się z trudem na wąskich schodach, goląc się w łazience przed tym samym małym lustrem, ciągle wchodząc, wpadając na siebie, potrącając się przypadkiem lub rozmyślnie – zmysłowo, agresywnie, niezręcznie, niecierpliwie, w złości lub w miłości – pomyśleć, jak głębokie, choć niewidoczne ślady musieli wszędzie po sobie zostawić! Drzwi do kuchni zaplanowano zbyt wąskie. Dwie osoby, które się śpieszą, z talerzami w ręku, wciąż się tutaj ze sobą zderzały. I właśnie tutaj, niemal każdego ranka, George, doszedłszy do podstawy schodów, ma wrażenie, że nagle znalazł się na ostrej, brutalnie odciętej, stromej krawędzi, tak jakby ścieżka nagle opadała w urwisko. Tu zatrzymuje się raptownie i wie, z obezwładniającym poczuciem nowości, niemal jakby to było po raz pierwszy: Jim nie żyje. Nie żyje.

Stoi bez ruchu, bez słowa, czasem najwyżej wydając krótki zwierzęcy pomruk, i czeka, aż minie spazm. Potem wchodzi do kuchni. Te poranne spazmy są zbyt bolesne, by je traktować sentymentalnie. Kiedy miną, czuje ulgę, tylko tyle. Tak jak wtedy, kiedy mija silny atak kurczu.

Dziś więcej mrówek niż zwykle wędruje kolumnami przez podłogę, wspinając się na zlew i atakując szafkę, w której trzyma dżem i miód. Niszczy je systematycznie rozpylaczem Flita i nagle widzi się przy tej czynności: uparty, złośliwy staruch, narzucający swą wolę tym pouczającym, cudownym owadom. Życie, które niszczy inne życie przed widownią złożoną z przedmiotów – garnków i patelni, noży i widelców, puszek i butelek – które nie biorą udziału w królestwie ewolucji. Dlaczego? Po co? Czy jakiś kosmiczny wróg, jakiś arcytyran usiłuje zasłonić przed naszymi oczyma swoje istnienie, rzucając nas na naszych naturalnych sojuszników, współmęczenników jego tyranii? Niestety, zanim George o tym pomyślał, mrówki już nie żyły – starte mokrą szmatką spłynęły w otwór zlewu.

Robi sobie jajka w koszulkach, bekon, grzanki i kawę i siada przy kuchennym stole, żeby to zjeść. Tymczasem po głowie krąży mu dziecinna piosenka, jaką śpiewała mu niańka, kiedy jako dziecko mieszkał w Anglii, przed tylu, tylu laty:

„Jajka na grzance to rzecz znakomita...".

Widzi ją wciąż tak wyraźnie, siwą, z mysimi oczyma, niską pulchną sylwetkę, z tacą z dziecinnym śniadaniem w ręku, zadyszaną od wspinania się po schodach. Utyskiwała na ich stromiznę, nazywała je „drewnianymi górami" – to jedna z magicznych nazw jego dzieciństwa.

„Jajka na grzance to rzecz znakomita,
Kto ich raz spróbuje, zawsze o nie pyta!".

Ach, ta dramatycznie ulotna przytulność owych dziecięcych przyjemności! Panicz George pałaszujący jajka na grzance, niania, która patrzy na niego i uśmiecha się dla potwierdzenia, jak bezpiecznie jest w ich kochanym małym, skazanym na zagładę świecie!

Śniadanie z Jimem należało do najlepszych momentów ich dnia. Wtedy właśnie, pijąc drugą i trzecią filiżankę kawy, toczyli najlepsze rozmowy. Rozmawiali o wszystkim, co im przyszło do głowy – nie pomijając oczywiście śmierci i kwestii, czy istnieje życie pozagrobowe, a jeśli istnieje, to co obejmuje. Rozważali nawet zalety i wady nagłej śmierci oraz świadomości tego, że się ma zaraz umrzeć. Ale teraz George za żadne skarby świata nie może sobie przypomnieć, jakie było zdanie Jima w tej kwestii. Podobne pytania trudno traktować poważnie. Są zbyt akademickie.

Załóżmy, że zmarli mogą nawiedzać żywych. Że coś, co w przybliżeniu będzie odpowiadać opisowi Jima, powróci, żeby się przekonać, jak George sobie radzi. Czy takie spotkanie przyniesie im satysfakcję? Czy warte będzie zachodu? W najlepszym razie odbędzie się coś w rodzaju przelotnej wizyty obserwatora z innego kraju, któremu wolno zerknąć przez chwilę z rozległych przestrzeni swojej wolności i ujrzeć w oddali, przez szybę, tę postać, która siedzi samotnie przy małym stole w wąskim pomieszczeniu, pokornie i ospale jedząc jajka w koszulkach, jak dożywotni więzień.

Salon jest ciemny, ma niski sufit i półki z książkami wzdłuż całej ściany vis-à-vis okien. Książki nie uczyniły George'a szlachetniejszym, lepszym, ani naprawdę mądrym. Tyle że lubi wsłuchiwać się w ich głosy, takie lub inne, zależnie od nastroju. Całkiem bezwzględnie używa ich niezgodnie z przeznaczeniem – wbrew szacunkowi, z jakim musi o nich mówić publicznie – do zasypiania, do odwracania uwagi od biegu wskazówek zegara, do złagodzenia dokuczliwego skurczu odźwiernika, do rozpraszania poczucia melancholii, do niwelowania odruchów warunkowych zwieracza.

Bierze teraz jedną z nich do ręki i mówi do niego Ruskin:

„...jako uczniowie szkolni lubiliście wasze pukawki; strzelby i armstrongi są tylko ich ulepszonym wydaniem; co gorsza, to, co dla was, chłopców, było zabawą, nie było nią zgoła dla wróbli; podobnie dziś, to, co jest dla was rozrywką, nie jest rozrywką dla drobnego ptactwa naszego kraju; jeśli zaś chodzi o czarne orły, jakoś nie kwapicie się do nich strzelać, o ile się dobrze orientuję".

Nieznośny stary Ruskin, zawsze bezwzględnie sprawiedliwy, przy tym szalony, wiecznie niezadowolony, ze swymi bokobrodami, rugający Anglików – dziś jest doskonałym towarzyszem pięciu minut w ubikacji. Odczuwając przyjemną naglącą potrzebę, George z książką w ręku śpieszy po schodach do łazienki.

Siedząc na tronie może wyglądać przez okno. (Z drugiej strony ulicy widać jego głowę i plecy, ale nie widać, co robi). Jest szary, łagodnie zimowy kalifornijski poranek, z niskim niebem i luźną mgłą znad Pacyfiku. W dole, na wybrzeżu, ocean i niebo są na pewno jedną szarą i smutną masą. Palmy stoją bez ruchu, a krzewy oleandrów ociekają rosą.

Ulica nazywa się Camphor Tree Lane. Może rosły tu kiedyś drzewa kamforowe – teraz nie ma ich wcale. Przypuszczalnie wybrali tę nazwę, ze względu na jej malowniczość, pierwsi uciekinierzy z brudnego śródmieścia Los Angeles i ze snobistycznej Pasadeny, którzy dotarli aż tutaj i założyli to osiedle na początku lat dwudziestych. Ozdobione sztukaterią domki i drewniane chaty zwali willami i nadawali im wymyślne nazwy, w rodzaju „Forkasztel" albo „Dość Wysoko". Oni też ponazywali ulice „alejami", „drogami" i „dróżkami", żeby pasowały do leśnej atmosfery, jaką pragnęli stworzyć. Ich utopijnym marzeniem była tropikalna angielska wioska z obyczajami Montmartre'u: zaciszny zakątek, w którym można sobie trochę pomalować, trochę popisać i zdrowo popić. Widzieli w sobie indywidualistów tylnej straży, broniących ostatnich okopów przed dwudziestym wiekiem. Od rana do wieczora zanosili dzięki, że udało im się uniknąć zgubnego dla duszy komercjalizmu wielkiego miasta. Byli niemodni, weseli – wyzywająca cyganeria, wścibska, jeśli chodzi o postępowanie sąsiadów, a przy tym bezgranicznie tolerancyjna. Kiedy walczyli, to na pięści, butelki i krzesła, a nie przy pomocy adwokatów. Niemal wszyscy mieli to szczęście, że pomarli przed Wielką Zmianą.

Zmiana zaczęła się pod koniec lat czterdziestych, kiedy weterani drugiej wojny światowej wyroili się ze wschodu ze świeżo poślubionymi żonami, w poszukiwaniu nowych, lepszych terenów lęgowych w słonecznej krainie południa, którą pamiętali jako ostatni, nostalgiczny widok na ojczyznę przed przeprawą przez Pacyfik. A jakiż lepszy teren lęgowy można sobie wyobrazić niż ta wzgórzysta okolica, z plażą o pięć minut spacerem, bez przelotowego ruchu, który by dziesiątkował przyszłe szczenięta? Tak więc wille, w których dotąd kąpano się w dżinie i recytowano wiersze Harta Crane'a, jedna po drugiej wpadały w ręce armii okupacyjnej pijających colę telewidzów.

Sami weterani bez wątpienia świetnie by się przystosowali do pierwotnej cygańskiej utopii; być może niektórzy zabraliby się nawet do malowania albo do pisania w przerwach między katzenjammerami. Ale żony wytłumaczyły im na samym początku, i to bardzo dobitnie, że wychowywanie potomstwa i cyganeria nie idą w parze. Pierwsze wymaga stałej pracy, hipoteki, kredytów, ubezpieczenia. I żebyś się nie ośmielił umrzeć, póki przyszłość rodziny nie będzie zabezpieczona.

Więc pojawiły się szczenięta, miot po miocie. Mała stara szkółka rozrosła się w zestaw nowych, przestronnych budynków. Stragan na skraju urwiska zastąpiono dużym sklepem wielobranżowym. A na Camphor Tree Lane zawieszono dwie tablice. Pierwsza przestrzegała przed jedzeniem rukwi wodnej, rosnącej nad potokiem, ponieważ woda jest zatruta. (Pierwsi osadnicy jedli rukiew latami; George i Jim spróbowali jej raz, była pyszna i nic im się nie stało). Drugi znak – złowrogie czarne sylwetki na żółtym tle – powiadał: UWAGA – DZIECI.

George i Jim zobaczyli, rzecz prosta, ten żółty znak, jak tylko się tu po raz pierwszy zjawili w poszukiwaniu domu. Zlekceważyli go jednak, ponieważ od pierwszego wejrzenia zakochali się w tym domu. A pokochali go dlatego, że można się do niego dostać tylko przez mostek nad potokiem; rząd drzew i stroma, porośnięta krzakami skała z tyłu sprawiają, że przypomina dom na leśnej polanie.

– Jakbyśmy byli na własnej wyspie – powiedział wtedy George.

Brodzili po kolana w uschłych jaworowych liściach (wieczne utrapienie); postanowili, że odtąd wszystko im się będzie podobać. Zaglądając przez okno do niskiego i mrocznego salonu, ustalali, jak przyjemnie będzie tu przesiadywać wieczorami przy kominku. Garaż obrośnięty był wielką splątaną czapą bluszczu, zielonego i uschłego, który czynił go dwa razy większym; w środku stał mały ford, zbudowany jeszcze w czasach modelu T. Jim pomyślał, że można tu będzie hodować jakieś zwierzęta. Ich samochody były i tak za duże na ten garaż, ale mogą je parkować na mostku. Zauważyli, że mostek trochę osiada.

– Och, mam nadzieję, że nas przeżyje – powiedział Jim.

Okoliczne dzieci bez wątpienia postrzegały dom tak, jak jawił się on George'owi i Jimowi za pierwszym razem. Zarośnięty bluszczem, mroczny i tajemniczy, był idealną kryjówką dla jakiegoś wstrętnego potwora ze staromodnej bajki. George stwierdził, że tę właśnie rolę przychodzi mu w coraz większym stopniu odgrywać, odkąd pozostał sam. Uwalnia to tę część jego charakteru, którą wolał kryć przed Jimem. Co by Jim powiedział, gdyby go ujrzał, jak macha rękoma i drze się jak opętany przez okno, kiedy Benny pani Strunk i Joe pani Garfein prowokują go, biegając tam i sam po mostku? (Jim zawsze świetnie sobie z nimi radził. Pozwalał im głaskać skunksy i szopy pracze oraz przemawiać do azjatyckiego szpaka – a zresztą przy nim nigdy samowolnie nie przekraczali mostka).

Pani Strunk, która mieszka naprzeciw, ruga czasami swoje dzieci, każąc im zostawić go w spokoju, tłumacząc, że jest profesorem i dlatego musi tyle pracować. Ale nawet pani Strunk, przy całej swej dobroduszności – zrodzonej ze zmęczenia, wynikającego z codziennej domowej krzątaniny i z tęsknoty za dniami, w których śpiewała w radio; musiała poświęcić karierę, żeby dać panu Strunkowi pięciu chłopców i dwie dziewczynki – otóż nawet i ona nie mogła się powstrzymać i powiedziała George'owi, z uśmiechem matczynego pobłażania i leciutkim odcieniem aprobaty, że jej Benny (najmłodszy) nazywa go obecnie „tym człowiekiem", odkąd George pędzi go z podwórka, z mostka i przyległej ulicy (chłopiec walił młotem w drzwi domku).

George wstydzi się swoich wrzasków, ponieważ nie są udawane. Naprawdę traci panowanie i potem czuje się upokorzony i dostaje mdłości. Równocześnie świetnie zdaje sobie sprawę, że chłopcy chcą, żeby się tak właśnie zachowywał. Naprawdę tego od niego oczekują. Gdyby nagle odmówił odgrywania roli potwora i gdyby nie udało im się go znów sprowokować, musieliby rozejrzeć się za jakąś namiastką. Nigdy nie zadawali sobie pytania „czy on udaje, czy też naprawdę nas nienawidzi?". Jest im idealnie obojętny, wyjąwszy rolę, jaką gra w ich mitologii. To tylko George się przejmuje. Tym bardziej wstydzi się chwili słabości: bodajże przed miesiącem kupił paczkę cukierków i poczęstował ich na ulicy. Chłopcy przyjęli bez słowa podziękowania, patrząc na niego ze zdziwieniem i spod oka; może w tej właśnie chwili odebrali pierwszą w życiu lekcję pogardy.

Ruskin tymczasem całkiem zszedł z piedestału. „Smak jest JEDYNĄ moralnością!" – woła, grożąc George'owi palcem. Staje się nudny, więc George przerywa mu w pół zdania, zamykając książkę. Wciąż siedząc na tronie, wygląda przez okno.

Jest spokojny ranek. Prawie wszystkie dzieci poszły do szkoły – jeszcze parę tygodni do przerwy bożonarodzeniowej. (Na myśl o Bożym Narodzeniu George popada w rozpacz. Może zdobędzie się na drakoński krok, poleci do Mexico City, albo będzie pił przez tydzień, albo ruszy w tango po okolicznych barach. Nie zrobisz tego, już nigdy – mówi znudzony nim głos wewnętrzny).

Ale otóż i Benny, z młotkiem w ręce. Buszuje w pojemnikach na śmieci, przygotowanych na chodniku do wywiezienia, wreszcie wyciąga popsutą wagę łazienkową. Podczas gdy George patrzy, Benny zaczyna rozwalać wagę młotkiem, wydając przy tym krzyki – udaje, że to przyrząd krzyczy z bólu. Pomyśleć tylko, że pani Strunk, matka dumna ze swej pociechy, pytała czasami Jima, z dreszczem obrzydzenia, jak może dotykać tych niewinnych młodych węży królewskich! Ale oto i pani Strunk wychodzi na ganek, w chwili gdy Benny skończył znęcać się nad wagą i wpatruje się w jej poszarpane bebechy.

– Wrzuć to z powrotem! – woła matka. – Z powrotem do kubła! Wrzuć ją z powrotem, natychmiast! Z powrotem! Wrzuć ją! Wrzuć do kubła!

Jej głos wznosi się i opada w przemyślnie zaaranżowanej melodii. Nigdy nie krzyczy na swoje dzieci. Przeczytała wszystkie książki o psychologii. Wie, że Benny, zgodnie z programem, przechodzi fazę agresji, jest po prostu okazem zdrowia i normalności. Pani Strunk świetnie zdaje sobie sprawę, że jej głos słychać na całej ulicy. Ale ma do tego prawo, ponieważ to jest Godzina Matek. Kiedy Benny w końcu wrzuca kilka części wagi do kubła, jego matka odśpiewuje „Dzielny chłopak!" i z uśmiechem wycofuje się do domu.

Tymczasem Benny spotyka trójkę znacznie młodszych szczeniaków, dwóch chłopców i dziewczynkę, którzy próbują wykopać dziurę na dziewiczym terenie między Strunkami i Garfeinami. (Oba ich domy stoją frontem do ulicy, w ostrym kontraście do ubocznej intymności kryjówki George'a).

Na ziemi niczyjej, pod dużym starym eukaliptusem, Benny obejmuje komendę nad kopaniem. Ściąga wiatrówkę i daje ją dziewczynce do potrzymania; następnie pluje na dłonie i sięga po łopatę. Jest teraz tym albo innym bohaterem telewizyjnym, który szuka zakopanego skarbu. Te szczeniaki są mieszaniną takich naśladownictw. Jak tylko nauczą się mówić, zaczynają powtarzać śpiewane reklamy.

Ale nagle jeden z młodszych chłopców – zapewne znudzony komendami Benny'ego, tak jak harcerskie zapędy pani Strunk nudzą Benny'ego – odchodzi na bok i zaczyna strzelać z karbidowej armatki. George był już u pani Strunk w związku z tą armatką, błagając ją, żeby wytłumaczyła matce chłopca, iż te strzały doprowadzają go powoli do szaleństwa. Ale pani Strunk nie miała najmniejszego zamiaru burzyć przyrodzonej anarchii. Z wymijającym uśmiechem powiedziała George'owi:

– Ja nigdy nie słyszę hałasu, jaki robią dzieci – dopóki jest to szczęśliwy hałas.

Godzina pani Strunk i władza macierzyńska będą trwały do południa, kiedy to starsi chłopcy i starsze dziewczęta wrócą ze szkoły. Przychodzą w mieszanych grupach, od których jednak niemal wszyscy chłopcy odłączają się zaraz, żeby wziąć udział w męskiej godzinie gry w piłkę nożną. Pokrzykują na siebie głośno i zaczepnie, kopią się, szturchają i łapią się z bezczelnym wdziękiem. Kiedy piłka wyląduje na czyimś podwórku, depczą kwiaty, rujnują skalne ogródki, wpadają na patio i nawet im nie przyjdzie do głowy powiedzieć „przepraszam". Jeśli jakiś samochód zapuści się w tę uliczkę, musi stanąć i czekać, aż zechcą go przepuścić – znają przysługujące im prawa. A teraz matki muszą trzymać swe szczenięta w domu, dla bezpieczeństwa. Dziewczęta siedzą na gankach, chichocząc między sobą. Spoglądają bez przerwy na chłopców i zrobiłyby największe dziwactwo, żeby tylko zwrócić na siebie ich uwagę: na przykład córki Codych wachlują swojego wiekowego czarnego pudla, jakby to była Kleopatra nad brzegiem Nilu. Są mimo to roztargnione, nawet w obecności swoich chłopaków; ich godzina jeszcze nie nadeszła. W tej chwili chcą z nimi rozmawiać tylko ci chłopcy, którzy mówią cicho i nieśmiało, jak ładny, panienkowaty synek doktora, który wiąże pudlowi kokardy.

A potem, w całej okazałości, mężczyźni będą wracać z pracy. To ich godzina – piłka musi pójść w odstawkę. Bo nerwom pana Strunka nie wyszły na dobre wielogodzinne starania, by sprzedać kawałek gruntu bogatej wdowie o ptasim móżdżku, humor zaś pana Garfeina pozostawia wiele do życzenia po spięciach w jego firmie, budującej baseny. Oni i ich sąsiedzi-ojcowie nie tolerują teraz hałasu. (W niedzielę pan Strunk grywa w piłkę ze swoimi synami, ale to tylko jego kolejny pomysł z zakresu wychowania fizycznego, gra z obowiązku, poważna, bez prawdziwej uciechy).

W każdy weekend odbywają się zabawy. Nastolatkom pozwala się wyjść z domu, tańczyć i obściskiwać się, nawet jeśli nie odrobili lekcji – ponieważ w wieku dorastania ma się potrzebę odprężenia – bez nadzoru. Tymczasem pani Strunk z panią Garfein przygotowują w kuchni sałatki, a pan Strunk uruchamia na patio ruszt, podczas gdy pan Garfein, przemierzając ziemię niczyją z tacą zastawioną butelkami i mikserem, oznajmia radośnie, w stylu marynarskim:

– Pora na Martuuuuni!

Po dwóch albo trzech godzinach, po toastach i salwach śmiechu, po zdumiewająco nieprzyzwoitych opowieściach, po mniej lub bardziej zawoalowanym podszczypywaniu tyłków cudzych żon, po kotletach i cieście, kiedy dziewczęta – jak pani Strunk i jej sąsiadki wciąż się nazywają, jakby miały dożyć dziewięćdziesiątki – biorą się do zmywania, ich mężowie gadają i śmieją się na ganku, ze szklankami w ręku, rozprawiając podniesionymi głosami. Zapomnieli w tej chwili o kłopotach w pracy. Są dumni i zadowoleni. Bo nawet najmniej ważny pośród nich jest współwłaścicielem amerykańskiej utopii, królestwa dobrego życia na tym świecie – utopii, którą Rosjanie starają się małpować, której Chińczycy nienawidzą, a jedni i drudzy gotowi są przez całe pokolenia poddawać się czystkom i cierpieć głód, w beznadziejnej nadziei, że ją odziedziczą. Zaprawdę, panowie Strunk i Garfein są dumni ze swego królestwa. Dlaczego zatem ich głosy przypominają głosy chłopców, nawołujących się przy penetrowaniu mrocznej, obcej jaskini – coraz głośniejsze i głośniejsze, coraz to śmielsze i śmielsze? Czy wiedzą, czego się boją? Nie. Ale boją się bardzo.

Czegóż się boją?

Boją się tego, co – wiedzą o tym – tkwi gdzieś w otaczającym ich mroku, co może każdej chwili pojawić się w niewątpliwym świetle latarek, tak że nie będzie tego można zignorować, wytłumaczyć. Boją się wroga, którego nie da się ująć statystycznie, gorgony, która odmawia chirurgii plastycznej, wampira pijącego krew z niegrzecznym, nietaktownym siorbaniem, brzydko pachnącej bestii, co nie używa dezodorantów, niewymownego, co wbrew ich uciszaniom nalega, by wymówić jego imię.

Pośród wielu odmian potworów, powiada George, boją się małego mnie.

Pan Strunk, przypuszcza George, próbuje przyszpilić go słowem. Niewątpliwie burczy: „Pedał!". Ponieważ jednak mamy w końcu rok 1962, nawet i od niego można oczekiwać, że doda: „Nic mnie nie obchodzi, co robi, dopóki trzyma się ode mnie z dala". Nawet psychologowie nie są zgodni, jakie wnioski można wyciągnąć na temat panów Strunków tego świata na podstawie takiej uwagi. Pozostaje faktem, że sam pan Strunk, jeśli sądzić po fotografii w kostiumie piłkarskim, zrobionej w czasie studiów, był tym, co nazywa się „chłopak jak róża".

Natomiast pani Strunk, George jest tego pewien, pozwala sobie różnić się nieco w tej kwestii od swego męża, a to dlatego, że przeszła szkołę nowej tolerancji, tej techniki unicestwiania uprzejmością. Nie trzeba dzwonów i świec – oto pojawia się jej podręcznik psychologii. Czyta z niego śpiewnym głosikiem, dokonując egzorcyzmów, by usunąć z George'a to, co niewymowne. Nie ma powodu do wstrętu, intonuje, nie ma czego potępiać. Nie chodzi tutaj o świadomy grzech. Wszystko się bierze z dziedziczności, z warunków dzieciństwa (hańba zaborczym matkom, hańba niekoedukacyjnym szkołom angielskim!), z zahamowania rozwoju w wieku dojrzewania i/albo z jąder. Oto mamy nieudacznika, człowieka na zawsze pozbawionego tego, co w życiu najlepsze, trzeba się nad nim litować, a nie czynić mu wyrzuty. Niektóre przypadki, uchwycone odpowiednio wcześnie, można ewentualnie poddać terapii. Jeśli chodzi o resztę – ach, to takie smutne; zwłaszcza jeśli przydarzy się, a powiedzmy sobie, że się zdarza, ludziom naprawdę wartościowym, ludziom, którzy mogliby tyle dać innym. (Nawet jeśli mimo to są geniuszami, ich arcydzieła muszą być spaczone). Bądźmy więc wyrozumiali, pamiętajmy, że w końcu tacy byli też Grecy (choć to nieco odmienny przypadek, ci byli raczej poganami niż neurotykami). Możemy nawet posunąć się do tego, że powiemy, iż ten rodzaj stosunku może czasem być prawie piękny – zwłaszcza jeśli jedna ze stron już nie żyje, a najlepiej – obie.

Z jakąż rozkoszą pani Strunk opłakiwałaby Jima! Ale, niestety, nie wie, nikt z nich nie wie. To się stało w Ohio i gazety w Los Angeles o tym nie pisały. George rozpuścił wieść, że rodzice Jima, starzejąc się, już od dawna próbowali go namówić, żeby wrócił do domu i z nimi zamieszkał – i teraz, po ostatnich u nich odwiedzinach, został na stałe na Wschodnim Wybrzeżu. To ostatnie jest akurat szczerą prawdą. Jeśli chodzi o zwierzęta, te okropne pamiątki, George natychmiast musiał się ich pozbyć; nie mógł nawet znieść myśli o tym, że będą gdzieś w pobliżu. Toteż kiedy pani Garfein spytała, czy nie sprzedałby azjatyckiej sójki, odpowiedział, że wysłał wszystkie zwierzęta w ślad za Jimem. Faktycznie zabrał je handlarz z San Diego.

Teraz w odpowiedzi na pytania pani Strunk i innych George mówi, że owszem, miał niedawno wieści od Jima, wiedzie mu się dobrze. Pytają coraz rzadziej. Są wścibscy, ale w sumie dość obojętni.

Pani książka, pani Strunk, myli się, mówi George, kiedy powiada, że w Jimie znalazłem namiastkę prawdziwego syna, prawdziwego młodszego brata, prawdziwego męża, prawdziwej żony. Jim nie był żadną namiastką. I nie ma namiastki Jima, jeśli mogę tak powiedzieć, nigdzie nie ma.

Pani egzorcyzmy zawiodły, pani Strunk, mówi George. Kucając na klozecie i wyglądając ze swej kryjówki, patrzy, jak sąsiadka opróżnia worek odkurzacza do kubła na śmieci. Niewymowne nadal istnieje – pośród was.

Cholera. Telefon.

Nawet najdłuższy sznur, jaki może zaoferować firma telekomunikacyjna, nie sięga nigdy do łazienki. George zsuwa się z tronu i rusza niezgrabnie do gabinetu, niczym uczestnik wyścigu w workach.

– Halo?

– Halo... czy to... to ty, Geo?

– Cześć, Charley.

– Słuchaj, chyba nie dzwonię za wcześnie?

– Nie. (O Boże, już go zdążyła wyprowadzić z równowagi! Z drugiej strony, jakże może racjonalnie winić ją za to, że stoi niepodtarty, ze spodniami poniżej kolan? Chociaż trzeba przyznać, że Charlotte ma nadprzyrodzony talent do wybierania najgorszej chwili na telefon).

– Jesteś pewien?

– Oczywiście, że jestem pewien. Już jadłem śniadanie.

– Obawiałam się, że jeśli będę dłużej zwlekała, pójdziesz w końcu na zajęcia... Ojejku, nie zauważyłam nawet, że już jest tak późno. Czy nie powinieneś właśnie zaczynać?

– Dziś mam tylko jedną grupę. Początek o wpół do dwunastej. Wcześniej zaczynam w poniedziałki i w środy. (Składa te wyjaśnienia tonem lekko podkreślonej cierpliwości).

– Ach tak, tak, oczywiście! Ależ jestem głupia! Zawsze zapominam.

(Milczenie. George wie, że ona chce go o coś zapytać. Ale jej nie pomoże. Najeżyła go jej niezręczność. Jakim prawem zakłada, że powinna znać rozkład jego zajęć na uniwersytecie? Kolejny przejaw zaborczości. Z kolei, jeśli naprawdę uważa, że ma do tego prawo, czemu ciągle jej się myli?).

– Geo – (bardzo pokornie) – czy przypadkiem nie miałbyś dziś wolnego wieczoru?

– Obawiam się, że nie. Nie. (Jeszcze sekundę temu nie byłby w stanie powiedzieć, jak zareaguje. Wpłynęła na niego nuta determinacji w jej głosie. Nie jest w nastroju towarzyszyć jej kolejnemu załamaniu).

– Ach, tak... Obawiałam się, że tak będzie. Wiem, trzeba było zadzwonić z większym wyprzedzeniem. –

(Jest oszołomiona, bardzo spokojna, ale pozbawiona nadziei. George stoi i czeka na jej płacz. Nic nie słychać. Twarz wykrzywia mu grymas winy i skrępowania – to ostatecznie bierze się z rosnącej świadomości nieczystości i spętanych kolan).

– Przepraszam, czy nie mógłbyś... to znaczy... że to coś ważnego.

– Obawiam się, że tak. – (Znika grymas winy. Teraz jest na nią wściekły. Nie pozwoli jej na wymówki).

– Rozumiem... No cóż, nie przejmuj się. – (Teraz jest znów dzielna). – Spróbuję innym razem, za parę dni, dobrze?

– Oczywiście. – (Och, czemu nie miałby być troszkę milszy, teraz, kiedy już ją osadził na właściwym miejscu). – Albo ja do ciebie zadzwonię.

(Pauza)

– Cóż... do widzenia, Geo.

– Do widzenia, Charley.

Dwadzieścia minut później pani Strunk, podlewająca na ganku krzewy hibiskusa, obserwuje go, jak tyłem zjeżdża z mostka. (Mostek osiada coraz bardziej. Pani Strunk ma nadzieję, że George go naprawi – któreś z jej dzieci mogłoby zrobić sobie krzywdę). Kiedy skręca na ulicę, sąsiadka macha do niego ręką. On jej odmachuje.

Biedak, myśli ona, żyje tak samotnie. Ma sympatyczną twarz.

Jednym z cudów i błogosławieństw sieci autostrad w Los Angeles i okolicy jest to, że obecnie można od plaży do San Tomas State College przejechać w pięćdziesiąt minut, z dokładnością do pięciu, zamiast w ciągu dwóch godzin, jak w dawnych, powolnych czasach, wlokąc się od świateł do świateł przez całe śródmieście, a następnie przez dzielnice podmiejskie.

George żywi wobec autostrad uczucie swoistego patriotyzmu. Wprawia go w dumę, że są takie szybkie, że ludzie gubią się na nich, a czasem nawet wpadają w popłoch, szukają ucieczki i bezpiecznej przystani w najbliższym zjeździe. George uwielbia autostrady, bo ciągle jeszcze radzi sobie na nich – a fakt, że sobie radzi, dowodzi, iż ma prawo uważać się za czynnego członka społeczeństwa. Wciąż jeszcze nadąża.

(Jak każdy, kto cierpi na ostry kompleks kryminalisty, George jest przeczulony na punkcie wszelkich przepisów, rozporządzeń władz miejskich, regulaminów i pomniejszych regulacji. Wystarczy pomyśleć, ilu wrogów społeczeństwa numer 1 ujęto dlatego, że nie zapłacili za parking! Za każdym razem, kiedy stemplowano mu paszport na granicy, kiedy urzędnik na poczcie uznawał prawo jazdy za dowód tożsamości, George szeptał rozradowany pod nosem: – Idioci, znów ich wykiwałem!).

I wykiwa ich raz jeszcze tego ranka, w samym środku opętańczego wyścigu rydwanów wielkiej metropolii – Ben Hur by z pewnością stchórzył – śmigając jak dżokej z pasa na pas pośród najlepszych kierowców, nie schodząc poniżej stu trzydziestu na najszybszym lewym pasie, nie przejmując się, kiedy jakiś zwariowany nastolatek siedzi mu na ogonie albo kiedy kobieta (to wszystko bierze się z przepuszczania ich przodem w drzwiach) nagle wjeżdża ostro przed niego. Gliny na motocyklach nie mogły dostrzec, jak dotychczas, nic, co by ich skłoniło do włączenia syreny i czerwonych świateł, do skierowania go na pobocze, wyłączenia z wyścigu, a następnie odprowadzenia, grzecznie, ale stanowczo, do jakiegoś pięknie urządzonego domu opieki, gdzie obywatelom seniorom (słowo „starcy" stało się w naszym dobrotliwym kraju równie nieprzyzwoite jak „żydki" lub „czarnuchy") ułatwia się popadnięcie w zdziecinnienie, ucząc ich na nowo zabaw z dzieciństwa, z tą różnicą, że teraz nazywa się to „bierny wypoczynek". Ach, za wszelką cenę pozwólcie im się pieprzyć, jeśli tylko jeszcze czują miętę, a jeśli nie, pozwólcie im oddawać się bez zahamowań dziecinnym zabawom erotycznym. Pozwólcie im się żenić, nawet jak są po osiemdziesiątce, po dziewięćdziesiątce, po setce – komu to przeszkadza? Róbcie wszystko, żeby tylko przestali się kręcić i hamować ruch uliczny.

Dość nieprzyjemny moment nadchodzi, kiedy kończy się wjazd na autostradę i masz się włączyć do ruchu. George ma wówczas uczucie mrowienia, którego nie rozprasza zerknięcie we wsteczne lusterko, ma poczucie, że ktoś niewidoczny, nie wiadomo jak, wjedzie mu w tył. A potem, za chwilę, już jest włączony do ruchu i śmiga naprzód, wspinając się długimi, łagodnymi stopniami ku przełęczy, zostawiając za sobą Dolinę.

Kiedy prowadzi, budzi się w nim coś w rodzaju autohipnozy. Widać, jak twarz się rozluźnia, ramiona opadają, całe ciało mości się wygodnie na siedzeniu. Górę biorą odruchy: lewa stopa wywiera zdecydowany, równomierny nacisk na pedał sprzęgła, podczas gdy prawa ostrożnie dodaje gazu. Lewa ręka lekko spoczywa na kierownicy, prawa precyzyjnie zmienia bieg na wyższy. Wzrok, przesuwając się bez pośpiechu z drogi do lusterka i z lusterka na drogę, spokojnie mierzy odległości z przodu, z tyłu, do najbliższego samochodu... W końcu przecież nie jest to oszalały wyścig rydwanów – jak mogłoby się wydawać obserwatorom albo zdenerwowanym nowicjuszom – tylko rzeka, z kojącą mocą zmierzająca pełnym strumieniem do ujścia. Nie ma się czego obawiać, póki człowiek daje się jej unosić; w rwącym nurcie można nawet doznać poczucia błogiego odpoczynku.

Ale teraz coś innego dzieje się z George'em. Twarz znów mu się napięła, mięśnie szczęki natężyły, wargi ma zaciśnięte ponuro, brwi ściągnęły się nerwowo. Zarazem jednak, gdy to się dzieje, reszta ciała pozostaje w pozie doskonałego odprężenia. Stopniowo staje się odrębną istotą – beznamiętnym, anonimowym archetypem kierowcy, prawie całkiem pozbawionym woli i indywidualności, uosobieniem koordynacji mięśniowej, braku lęku, taktownego milczenia, istotą, która odwozi swego pana do pracy.

I George, jak pan, który powierzył prowadzenie samochodu służącemu, może teraz skupić się na czymś innym. Kiedy już przeskoczyli przez grzbiet przełęczy, w coraz mniejszym stopniu zdaje sobie sprawę z otoczenia – przejeżdżających samochodów, nachylenia autostrady, otwierającego się widoku na Dolinę, z jej domami i ogrodami, pod długą brązową smugą smogu, za którą i nad którą wznoszą się nagie wierzchołki gór. Zapadł się mocno w głąb siebie.

O czym myśli?

Na skraju plaży pnie się w górę wśród rusztowań ogromny, bezczelnie wysoki budynek na sto mieszkań – zasłoni on kompletnie widok na brzeg oceanu z parku, znajdującego się na szczycie urwiska. Rzecznik tej budowy powiada – w odpowiedzi na protesty – że to jest postęp. A poza tym, argumentuje, skoro są ludzie gotowi płacić za ten widok po 450 dolarów miesięcznie (cena wynajmu mieszkań), dlaczego użytkownicy parku (należy do nich i George) mieliby mieć go za darmo?

Redaktor lokalnej gazety wszczął kampanię przeciwko zboczeńcom seksualnym (pod czym rozumie ludzi takich jak George). Są wszędzie, powiada, nie można już wejść do baru, do męskiej toalety czy do biblioteki publicznej, żeby się nie natknąć na odrażające widoki. W dodatku oni wszyscy, bez wyjątku, są chorzy wenerycznie. Obowiązujące przepisy prawne, przeciwko nim skierowane, pisze redaktor, są zbyt pobłażliwe.

Jeden z senatorów wygłosił ostatnio przemówienie, w którym oznajmił, że powinniśmy natychmiast zaatakować Kubę wszelkimi dostępnymi siłami, jeśli doktryna Monroego ma być czymś więcej niż tylko świstkiem papieru. Senator nie przeczy, że będzie to przypuszczalnie oznaczało wojnę atomową. Musimy się z tym liczyć – alternatywą jest utrata honoru. Musimy być przygotowani na poświęcenie trzech czwartych naszej ludności (w tym i George'a).

Byłoby zabawnie, myśli George, wślizgnąć się do tego budynku nocą, tuż przed wprowadzeniem się lokatorów, i spryskać ściany wszystkich pomieszczeń specjalnie spreparowanym środkiem cuchnącym, który z początku byłby niewykrywalny, ale z czasem nabrałby mocy i wreszcie zacząłby śmierdzieć jak rozkładające się zwłoki. Próbowaliby pozbyć się go wszelkimi znanymi nauce dezodorantami, na próżno jednak, a gdyby w końcu, zrozpaczeni, pozrywali tynk i szalunek, okazałoby się, że dźwigary też przesiąkły zapachem. Musieliby porzucić to miejsce, jak Khmerowie porzucili Angkor, ale smród by się wzmagał i szedłby w górę wybrzeża aż do Malibu. Wtedy ekipy robotników w maskach gazowych musiałyby rozebrać całą budowlę, zemleć ją na pył i wsypać daleko od brzegu do oceanu.

...A może praktyczniej byłoby odkryć jakiś rodzaj wirusa, co zjada substancję, która sprawia, że metal jest twardy. Przewaga takiego rozwiązania nad środkiem cuchnącym polega na tym, że wystarczyłby jeden zastrzyk w odpowiednie miejsce, aby wirus zjadł wszystkie metalowe części budynku. I wówczas, kiedy już się wszyscy wprowadzą i kiedy będzie się odbywać wielka parapetówa, cały budynek powoli osiądzie i obróci się w miękką, splątaną kupę, niczym porcja spaghetti.

A jeśli chodzi o redaktora gazety, myśli George, byłoby zabawnie porwać jego i dziennikarzy, którzy pisali te artykuły o zboczeńcach – na dodatek może jeszcze szefa policji, przywódcę komanda do zwalczania występku i pastorów, którzy w kazaniach wspierali tę kampanię – i zawieźć ich do tajnego studia nagraniowego filmów pornograficznych, gdzie, po krótkich namowach – zapewne wystarczyłoby pokazać im rozżarzone pogrzebacze i kleszcze – wykonaliby wszelkie możliwe działania seksualne, parami i grupowo, z oznakami największej rozkoszy. Film trzeba by wywołać, a kopie rozesłać po wszystkich kinach. Asystenci George'a uśpiliby bileterów, żeby nie mogli zapalić świateł na widowni, wyjścia zablokowali, sterroryzowali operatorów i pokazywali film pod tytułem *Najnowsze atrakcje*.

Jeśli zaś chodzi o senatora, zabawnie byłoby...

NIE.

(W tej chwili widzimy, że brwi ściągnęły się jeszcze bardziej w gwałtownym skurczu, usta zacisnęły, cienkie jak ostrze noża).

Nie. „Zabawnie" to nie jest właściwe słowo. Ci ludzie nie są zabawni. Nie należy z nimi postępować „zabawnie". Oni rozumieją tylko jeden język: język brutalnej siły.

Dlatego musimy rozpocząć kampanię systematycznego terroru. Żeby była skuteczna, trzeba będzie stworzyć organizację, złożoną z co najmniej pięciuset świetnie wyszkolonych morderców i katów, jednostek oddanych sprawie. Przywódca organizacji sporządziłby listę jasno określonych, prostych celów, takich jak likwidacja budynku mieszkalnego, zniszczenie gazety, przejście senatora na emeryturę. Będzie się je realizować po kolei, bez względu na czas, jaki pochłoną, albo liczbę ofiar... W poszczególnych wypadkach główny winowajca otrzyma najpierw uprzejmą kartkę, podpisaną „Wuj George" i wyjaśniającą dokładnie, co musi zrobić przed określonym terminem, jeśli pragnie pozostać przy życiu. Wyjaśni mu się także, że Wuj George działa, zgodnie z teorią winy, przez skojarzenie.

W minutę po upływie ultimatum rozpocznie się zabijanie. Egzekucja głównego winowajcy będzie odroczona o parę tygodni lub nawet miesięcy, żeby dać mu czas na zastanowienie. Tymczasem pojawią się codzienne ostrzeżenia. Porwie się jego żonę, udusi, zabalsamuje i posadzi w salonie, żeby czekała na powrót mężа z biura. Główki jego dzieci będą nadchodziły w paczkach, przynoszonych przez listonosza, podobnie jak taśmy z przedśmiertnymi wrzaskami torturowanych krewnych. Domy jego przyjaciół zaczną nocami wylatywać w powietrze. Życie każdego, kto zetknął się z nim choćby przelotnie, będzie w niebezpieczeństwie.

Kiedy wystarczającą ilość razy organizacja udowodni swą stuprocentową skuteczność, społeczeństwo przekona się, że poleceń Wuja George'a należy słuchać natychmiast, bez zbędnych pytań.

Ale czy Wuj George chce, żeby go słuchano? Czy nie wolałby, żeby mu się opierano, tak, by mógł zabijać i zabijać, aż wszyscy pójdą do piachu, im więcej, tym lepiej? W końcu przecież wszyscy ponoszą odpowiedzialność za śmierć Jima; ich słowa, ich myśli, cały ich sposób życia, nawet tych, co nie zdawali sobie sprawy z jego istnienia. Ale kiedy George doszedł już tak głęboko, nawet Jim przestaje się liczyć. Jim jest teraz tylko pretekstem, umożliwiającym nienawiść do trzech czwartych ludności Ameryki... Szczęki George'a pracują, zęby zgrzytają, kiedy przeżuwa swoją nienawiść.

Ale czy George naprawdę nienawidzi tych wszystkich ludzi? Czy oni sami nie są pretekstem do nienawiści? Czym zatem jest ta nienawiść George'a? Bodźcem, niczym ponadto – choć niewątpliwie bardzo dla niego niezdrowym. Wściekłość, złość, spleen – oto witalność wieku średniego. Jeśli powiemy, że jest na tym właśnie punkcie szalony, to samo będziemy musieli zapewne powiedzieć o co najmniej kilku innych kierowcach otaczających go samochodów, którzy teraz zwalniają wskutek zagęszczenia ruchu, jadąc w dół, potem pod wiaduktem, wreszcie znów w górę koło dworca... Mój Boże! Już jesteśmy w śródmieściu! George otrząsa się, oszołomiony, zdając sobie nagle sprawę, że tkwiący w nim kierowca pobił rekord: nigdy jeszcze nie udało mu się pojechać tak daleko zupełnie samemu. Tu wszakże rodzi się niepokojące pytanie: czy kierowca stopniowo nie staje się osobą? Czy nie szykuje się do zawładnięcia innymi obszarami życia George'a?

Nie ma teraz czasu, żeby się nad tym zastanawiać. Za dziesięć minut dojedzie na teren uniwersytetu. Za dziesięć minut George znów będzie George'em – którego tak nazwano i którego się pod tym imieniem rozpoznaje. Więc teraz świadomie zaczyna przyzwyczajać się do myślenia tak jak inni, dopasowuje się do ich nastroju. Ze zręcznością weterana w mgnieniu oka nakłada psychologiczną maseczkę, odpowiednią do roli, jaką będzie odgrywał...

Wystarczy zjechać z autostrady na San Tomas Avenue, żeby znów znaleźć się w ospałym, niemrawym Los Angeles lat trzydziestych, wygrzebującym się z depresji, niemającym pieniędzy na świeżą farbę. Jakież to urocze! Pofałdowany teren niewielkich, ale stromych pagórków z białymi, odrapanymi domkami, które przysiadły niepewnie na zboczach i wierzchołkach, wygląda raczej dziwacznie niż brzydko z powodu beznadziejnie poplątanej sieci przewodów i słupów telefonicznych. Mieszkają tu Meksykanie, stąd tyle kwiatów. Mieszkają tu też Murzyni, dlatego jest tak wesoło. George nie ośmieliłby się tu zamieszkać, dlatego że całymi dniami mają radia i telewizory otwarte na cały regulator. Ale też tutaj nigdy by nie krzyczał na dzieci, ponieważ ci ludzie nie są Wrogiem. Gdyby zaakceptowali George'a, mogliby nawet stać się sojusznikami. Nigdy nie pojawiają się w rojeniach Wuja George'a.

Teren uniwersytetu stanowego San Tomas znajduje się po drugiej stronie autostrady. Trzeba przejechać nad nią wiaduktem i wrócić do współczesnego świata konstrukcji-destrukcji-konstrukcji. Tutaj pagórki albo zniwelowano, albo ścięto im wierzchołki buldożerami, ziemia jest rozpłatana tarasami w stanie surowym. Domki-sypialnie o niskich dachach (nieodmiennie zwane domostwami i określane mianem „nowego stylu życia") uruchamia się, kolonia po kolonii, kiedy tylko można je podłączyć do prądu i do kanalizacji. Oszczerstwem byłoby twierdzić, że są identyczne – niektóre mają brązowe dachy, inne zielone, kafelki w łazienkach są w kilkunastu różnych odcieniach. Każda kolonia też ma swoją indywidualność, każda ma swoją nazwę, pod tym względem można polegać na inwencji pośredników w handlu nieruchomościami: Niebiańskie Pola, Vista Grande, Gubernatorskie Wyżyny.

Okiem tego cyklonu – niwelowania, kopania, wywożenia gruzu i stukania młotkami – jest teren uniwersytecki. Czysta, nowoczesna fabryka, cegła i szkło, duże okna, zbudowana w trzech czwartych i teraz w histerycznym pośpiechu wykańczana. (Hałas budowy w niektórych salach zagłusza głos profesora). Kiedy fabryka ruszy pełną parą, będzie mogła przerabiać do dwudziestu tysięcy absolwentów. Ale za jakieś dziesięć lat stanie w obliczu czterdziestu albo i pięćdziesięciu tysięcy. Wtedy trzeba będzie wszystko zburzyć i zbudować od nowa – dwa razy wyższe.

Można wszakże założyć, że do tego czasu teren uniwersytecki będzie odcięty od świata zewnętrznego swoimi parkingami, które utworzą nieprzenikniony las samochodów, porzuconych przez zrozpaczonych studentów po trwających tygodniami korkach niedalekiej przyszłości. Już teraz parkingi zajmują jedną trzecią terenu i są tak przepełnione, że nieraz trzeba je wszystkie objechać, nim się znajdzie ostatni kawałek wolnego miejsca. Dziś George ma szczęście. Znalazł miejsce na parkingu, najbliższym jego sali wykładowej. Wsuwa swoją kartę parkingową do automatu (tym samym dostarczając pośredniego dowodu, że jest George'em), barierka podnosi się kurczowymi, mechanicznymi szarpnięciami i George wjeżdża.

Ćwiczy się ostatnio w rozpoznawaniu samochodów swoich studentów. (Ciągle zabiera się do realizacji jakiegoś projektu samodoskonalenia: raz jest to ćwiczenie pamięci, innym razem nowa dieta, czasem po prostu zobowiązanie się do lektury jakiejś beznadziejnej książki z listy bestsellerów. Rzadko udaje mu się dłużej realizować jeden projekt). Dziś z satysfakcją rozpoznaje trzy samochody – nie licząc skutera, na którym stypendysta z Włoch z odwagą lub prowincjonalizmem graniczącym z szaleństwem jeździ po autostradzie, jakby to była Via Veneto. Oto poobijany, niezbyt biały ford coupé, należący do Toma Kugelmana, z napisem z tyłu: WOLNY BIAŁY. Oto brudnoszary pontiac Chińczyka z Hawajów, z dowcipną nalepką na tylnej szybie: WIERZĘ TYLKO W JEDEN „IZM": ABSTRAKCYJNY EKSPRESJONIZM. W tym akurat przypadku dowcip nie jest dowcipem, bo chłopak rzeczywiście jest malarzem abstrakcyjnym. (A może to subtelność do kwadratu?). Skądinąd zresztą jest jakiś absurd w tym, że ktoś obdarzony tak słodkim, zagadkowym uśmiechem, gładziutką skórą i upodobaniem do kociej czystości może tworzyć takie ponure, brudne płótna i być właścicielem tak zapuszczonego samochodu. Nazywa się pięknie: Alexander Mong. A oto wypastowany, nieskazitelny szkarłatny mg, którym jeździ Buddy Sorensen, niespokojny wodnistooki albinos, gwiazdor koszykówki, chodzący z plakietką PRECZ Z BOMBĄ. George zauważył, jak Buddy mignął mu na autostradzie, i uśmiechnął się do siebie, jakby absurdalnie mała wanienka ścigała się z nim i wygrała, a on nie miał jej tego za złe.

Tak więc George dotarł do celu. Nie jest w najmniejszym stopniu zdenerwowany. Wysiadając z samochodu, czuje przypływ energii, gotowość do podjęcia gry.

Idzie energicznie, sprężystym krokiem, żwirowaną ścieżką koło wydziału muzyki w kierunku siedziby swojego wydziału. Jest teraz cały aktorem – aktorem, który wyszedł z garderoby i przechodzi za kulisami pośród rekwizytów, reflektorów i urządzeń technicznych, żeby wykonać entrée. Jako weteran, spokojny i pewny siebie, zatrzymuje się na dobrze odmierzoną chwilę w wejściu, po czym – śmiało i wyraźnie, z lekko modulowaną angielską intonacją, jakiej się tu od niego oczekuje, wypowiada pierwszą kwestię:

– Dzień dobry!

A trzy sekretarki – każda z nich urocza i doświadczona aktorka, wyspecjalizowana w samodzielnie wybranym typie roli – rozpoznają go natychmiast, bez cienia wahania i odpowiadają:

– Dzień dobry! (Jest w tym coś religijnego, jak odpowiedzi w liturgii – potwierdzenie wiary w podstawowy dogmat amerykański, że dzień jest zawsze dobry. Dobry, pomimo Rosjan i ich rakiet, pomimo chorób i dolegliwości ciała. Bo przecież wiemy, że ani dolegliwości, ani Rosjanie nie są rzeczywiście rzeczywiści, prawda? Można przestać o nich myśleć, skazując ich na niebyt. I w ten sposób dzień znów będzie dobry. Więc bardzo dobrze, już jest dobry).

Każdy wykładowca na wydziale anglistyki ma w sekretariacie przegródkę, a wszystkie są przeładowane papierami. Istna mania komunikowania! Wiadomość o zebraniu nieważnego komitetu, poświęconym trywialnemu tematowi, powiela się i rozdziela w setkach egzemplarzy. Każdego informuje się o wszystkim. George rzuca okiem na papiery w swojej przegródce, po czym ciska je do kosza, z jednym wyjątkiem: podłużnej karty, podziurkowanej, ponacinanej i ponumerowanej przez maszynę IBM-owską, a stanowiącej dowód studenckiej tożsamości jakiegoś biedaka. W samej rzeczy, ta karta jest jego tożsamością. Załóżmy, że zamiast podpisać i zwrócić w kadrach, jak się tego od niego oczekuje, George podarłby ją na kawałki? W tej samej chwili student przestałby istnieć, przynajmniej z punktu widzenia uniwersytetu stanowego San Tomas. Uczelnia przestałaby go dostrzegać, mógłby znów się dla niej pojawić z wielkimi trudnościami, dokonawszy niezwykle skomplikowanych ceremonii przebłagalnych: niezliczonych ofiar z formularzy, wypełnionych w trzech egzemplarzach i notarialnie poświadczonych oświadczeń dla bogów IBM.

George podpisuje kartę, przytrzymując ją lekko opuszkami palców. Nie lubi nawet dotykać tych rzeczy, ponieważ są znakami runicznymi idiotycznej a potężnej czarnej magii: magii bogów-maszyn myślących, których kult opiera się na jednym dogmacie: MY NIE MOŻEMY POPEŁNIĆ BŁĘDU. Ich magia opiera się na tym: kiedy robią błąd, a zdarza się to dość często, uwieczniają go, przez co przestaje być błędem... Trzymając kartę za sam rożek, George wręcza ją jednej z sekretarek, która już dopilnuje, żeby wróciła do kadr. Sekretarka ma na biurku dziurkacz, George bierze go, mówiąc:

– Przekonamy się, czy ten stary robot coś zauważy – i udaje, że chce zrobić w karcie dodatkową dziurkę. Dziewczyna śmieje się, ale nie od razu, tylko po trwającym ułamek sekundy napadzie paniki; jej śmiech jest nieco wymuszony. George pozwolił sobie na bluźnierstwo. Zadowolony z siebie, opuszcza sekretariat i zmierza do kantyny.

Najpierw przechodzi przez spory plac pośrodku terenu uniwersyteckiego, otoczony wydziałem sztuki, salą gimnastyczną, naukami ścisłymi i kadrami, świeżo obsiany trawą i wysadzony budzącymi nadzieję drzewkami, które powinny temu miejscu dać liście i przyjemny cień w ciągu paru lat – to znaczy mniej więcej wtedy, kiedy na nowo zaczną przekopywać cały teren. W powietrzu czuje się odrobinę smogu – faza „podrażnienia oczu". Góry pasma San Gabriel – które nadają uniwersytetowi San Tomas aurę uczelni położonej gdzieś wysoko w Andach w te nieliczne dni, kiedy je wyraźnie widać – dziś, jak zwykle, skryły się za niezdrowymi żółtawymi wyziewami, jakie unoszą się nad wielkomiejskim chaosem w dolinie.

A teraz wokół George'a, zbliżając się do niego i przecinając mu drogę we wszystkich możliwych kierunkach, znalazł się męski i żeński surowiec, dostarczany pasami transmisyjnymi autostrad, którym codziennie karmi się tę fabrykę, a ona go przerabia, pakuje i umieszcza na rynku: Murzyni, Meksykanie, Żydzi, Japończycy, Chińczycy, Latynosi, Słowianie, Skandynawowie, przy czym bruneci zdecydowanie przeważają nad blondynami.

Jedni pędzą, ledwie nadążając za planem zajęć, inni spędzają czas na flirtach, jedni zaperzają się w poważnych dyskusjach, inni powtarzają pod nosem zadane lekcje – wszyscy objuczeni książkami, wszyscy zabiegani.

Co oni sobie wyobrażają, po co tu przychodzą? Oficjalna odpowiedź brzmi: przygotowują się do życia, to znaczy do pracy i spokojnych warunków do wychowania dzieci, żeby je przygotować do życia, to znaczy do pracy i spokojnych warunków do wychowania. Ale pomimo poradnictwa zawodowego, pomimo broszur, udowadniających, ile można zarabiać, jeśli się zainwestuje w jakieś solidne wykształcenie – na przykład farmakologię albo księgowość i zarządzanie, albo którąś z licznych dziedzin elektroniki – wciąż jeszcze, choć brzmi to niewiarygodnie, są tacy, i to wcale liczni, co upierają się przy pisaniu wierszy, sztuk teatralnych i powieści! Otępiali z braku snu bazgrzą w kradzionych chwilach pomiędzy zajęciami uniwersyteckimi, dorywczymi pracami i życiem małżeńskim. W głowach krążą im słowa, podczas gdy sprzątają w szpitalach, sortują listy na poczcie, podgrzewają dziecku butelkę z mlekiem albo smażą hamburgery. I gdzieś pośród serwitutów składanych konieczności, szalona niekonieczność szepcze im do ucha, żeby żyli, poznawali, doświadczali – czego? Cudów! Sezonu w piekle, podróży do kresu nocy, siedmiu filarów mądrości, jasnego światła pustki... Czy któremuś się powiedzie? Oczywiście. Przynajmniej jednemu. Może dwojgu, najwyżej trojgu – spośród tysięcy startujących.

Będąc wśród nich, George czuje zawrót głowy. Dobry Boże, co się z nimi wszystkimi stanie? Jakie mają szanse? Czy nie należałoby raczej powiedzieć im, tu i teraz, że to beznadziejne?

Ale George wie, że akurat tego zrobić nie może. Ponieważ – absurdalnie, dziwacznie, niemal wbrew sobie, on jest tutaj przedstawicielem nadziei. I to nie fałszywej nadziei. Wcale nie. Tyle że George przypomina człowieka, który próbuje sprzedać prawdziwy diament za grosz, na ulicy. Diament jest bezpieczny, znaczna bowiem większość zabieganych przechodniów, z wyjątkiem nielicznych jednostek, nawet się nie zatrzyma, nie mogąc sobie wyobrazić, żeby w jakikolwiek możliwy sposób diament mógł być prawdziwy.

Na szybie kantyny ogłoszenia aktualnych imprez studenckich: Noc Indiańskich Kobiet, Piknik Poszukiwaczy Złotego Runa, Bal Świateł Przeciwmgielnych, Mityng Społeczeństwa Obywatelskiego i wielkie igrzyska z udziałem Los Angeles Pacific. Rytuał ogłoszeń plemienia San Tomas nie jest zresztą specjalnie rozbudowany – hołduje mu jedynie mniejszość gorliwych z co gorliwszych bobrów. Cała reszta dziewcząt i chłopców wcale nie myśli o sobie w kategoriach plemienia, choć przy specjalnych okazjach udają, że nim są. Jedyne, co ich naprawdę łączy, to pośpiech: muszą się zawsze z czymś uporać, kończą jakąś pracę, którą powinni byli oddać trzy dni temu. Kiedy George przysłuchuje się ich rozmowom, niemal zawsze chodzi o to, czego nie zrobili, co, jak się obawiają, profesor im zada, czego spróbowali nie zrobić i okazało się, że dobrze na tym wyszli.

Kantyna jest zatłoczona. George stoi w drzwiach i patrzy. Teraz, kiedy stał się obiektem użyteczności publicznej i własnością Uniwersytetu Stanowego San Tomas, pragnie być użyteczny. Wścieka się na myśl, że choćby minuta jego czasu mogła pozostać niewykorzystana. Zaczyna przechadzać się między stolikami z próbnym uśmiechem, uśmiechem czterdziestowatowym, który można przełączyć na stupięćdziesięciowatowy z chwilą, gdy ktoś tego zażąda.

Wreszcie, ku swojej uldze, widzi Russa Dreyera, a Dreyer wstaje od stołu, żeby się z nim przywitać. Dreyer stał się stopniowo osobistym asystentem George'a, jego adiutantem i gorylem. Jest to kanciasty młodzieniec o delikatnej twarzy, z włosami w czub i w okularach bez oprawek. Nosi sportową hawajską koszulę, która wygląda na nim jak ustępstwo wobec otaczającej go sportowej mody. W wycięciu odpiętego kołnierzyka widać rąbek podkoszulka o chirurgicznej czystości, jak zwykle. Dreyer jest prymusem i jego europejski odpowiednik byłby zapewne nieco oschły i sztywny. Dreyer nie jest ani oschły, ani sztywny. Ma cienkie poczucie humoru i – jak na byłego marynarza przystało – trochę brutalności. Kiedyś opisał George'owi typowy wieczór, jaki on i jego żona Marinette spędzili z jego kumplem Tomem Kugelmanem i jego żoną.

– Tom i ja posprzeczaliśmy się na temat *Finnegan*'s *Wake*. Spór trwał przez całą kolację. W końcu dziewczyny powiedziały, że mają tego dość, i poszły do kina. Pozmywaliśmy z Tomem i zrobiła się już dziesiąta, a wciąż żadnemu z nas nie udało się przekonać drugiego. Więc wyciągnęliśmy parę puszek piwa z lodówki i poszliśmy na podwórko. Tom buduje tam sobie garaż, ale jeszcze nie doszedł do dachu. I tam wyzwał mnie na pojedynek, i zaczęliśmy się boksować, balansując na belce poprzecznej nad drzwiami, i wygrałem trzynaście do jedenastu.

George jest oczarowany tą opowieścią. Na swój sposób ma ona w sobie coś klasycznie greckiego.

– Dzień dobry, Russ.

– Dzień dobry panu. – Dreyer nie z powodu różnicy wieku zwraca się do George'a per pan. Jak tylko dotrwają do kresu tego niemal wojskowego układu, bez wahania zacznie do niego mówić „George" albo nawet „Geo".

We dwóch podchodzą do automatu do parzenia kawy, nalewają do kubeczków, wybierają ciastka. Kiedy podchodzą do kasy, Dreyer wysuwa się przed George'a z odliczoną sumą.

– Pan pozwoli – mówi.

– Ty zawsze płacisz.

Dreyer uśmiecha się.

– Jesteśmy przy forsie, odkąd posłałem Marinette do pracy.

– Dostała posadę nauczycielki?

– Wszystko załatwione. Oczywiście tylko na zastępstwo.

Jedyny minus polega na tym, że musi wstawać o godzinę wcześniej.

– Więc ty sam robisz sobie śniadanie?

– Och, jakoś wytrzymam. Dopóki nie znajdzie pracy bliżej domu. Albo dopóki nie zrobię jej dziecka. – Najwyraźniej imponuje mu taka męska rozmowa z George'em. (Czy on o mnie wie? – zastanawia się George. – Czy ktoś z nich wie? Zapewne tak. Ale to ich nie interesuje. Nie chcą nic wiedzieć o moich uczuciach, o moich hormonach, o niczym, co się dzieje poniżej szyi. Mógłbym równie dobrze być uciętą głową, którą by wnoszono do sali, żeby prowadziła zajęcia, leżąc na tacy).

– Ale, ale, to mi przypomina – mówi Dreyer – że Marinette prosiła, żebym pana spytał, czy... zastanawialiśmy się, czy nie mógłby pan się do nas wybrać w najbliższym czasie? Zrobilibyśmy spaghetti. I może Tom przyniósłby taśmę, o której panu opowiadałem – z wypożyczalni w Berkeley, Katherine Ann Porter czyta własne opowiadania...

– Dobry pomysł – mówi George niezdecydowanie, bez entuzjazmu. Patrzy na zegarek. – Chyba musimy się zbierać.

Dreyer wcale się nie peszy jego brakiem zdecydowania. Być może na tym, żeby George przyszedł do nich na kolację, nie zależy mu wcale bardziej niż George'owi. To wszystko ma podtekst symboliczny. Marinette poprosiła go, żeby zapytał, on zapytał i zostało odnotowane, że George przyjął, już po raz drugi, zaproszenie do nich do domu. A to oznacza, że George jest z nimi zaprzyjaźniony i po latach będzie go można wymieniać jako członka ich kręgu towarzyskiego. O, tak, Dreyerowie lojalnie zatroszczą się o to, by George miał zasłużone miejsce pośród wielkich nudziarzy niegdysiejszych lat. George może sobie świetnie wyobrazić wieczór w latach dziewięćdziesiątych, kiedy to Russ jest dziekanem anglistyki na Środkowym Zachodzie, a Marinette matką dorosłych dzieci. Grupa młodych asystentów z żonami w trakcie symbolicznej rozmowy z doktorostwem Dreyerami będzie się symbolicznie starała wprowadzić Dreyera w nastrój gawędziarski, kiedy to, wciąż odbiegając od tematu i plącząc się, przeprowadzi ich z alkoholicznym uśmieszkiem przez całe morze bezbarwnych opowieści, w których będzie i George, i wielu innych, wszyscy niedokładnie cytowani. A Marinette, z wiecznym uśmiechem na ustach, będzie tego słuchała trzecim uchem – tym, co to wszystko już zna – i będzie czekała nadejścia godziny jedenastej. Która nadejdzie. I wszyscy zgodnie stwierdzą, że tym razem był to naprawdę niezapomniany wieczór.

W drodze do sali wykładowej Dreyer pyta George'a, co sądzi o tym, co dr Leavis napisał o sir Charlesie Snowie. (Ci nieszczęśni staromodni starcy i ich przebrzmiałe swary wciąż jeszcze budzą emocje w krainie foteli na biegunach).

– Cóż, przede wszystkim... – zaczyna George.

Mijają właśnie korty tenisowe. Tylko jeden jest zajęty przez dwóch młodych ludzi, którzy rozgrywają singla. Słońce z nieoczekiwanym żarem przebiło się przez oponę mgły i gracze rozebrali się prawie do naga. Mają na sobie tylko tenisówki, grube skarpetki i trykotowe spodenki w rodzaju tych, jakie noszą rowerzyści – bardzo krótkie i obcisłe, opinające się na pośladkach i lędźwiach. Absolutnie nieświadomi obecności przechodniów, odcięli się od otoczenia w ferworze gry. Wydaje się, że nie dzieli ich siatka. Nagość zbliża ich do siebie, a zarazem przeciwstawia, niczym wojowników. Gdyby to jednak był bój, to jednostronny, ponieważ chłopak z lewej strony jest dużo drobniejszy. Wygląda na Meksykanina, ciemnowłosy, przystojny, koci, okrutny, przyczajony, giętki, muskularny, szybki i poruszający się z wdziękiem. Jego skóra ma naturalny, złotobrązowy odcień; kręcone ciemne włosy porastają mu piersi, brzuch i uda. Gra ostro i szybko, z mistrzowskim wyrachowaniem, odbijając piłkę, obnaża białe zęby, ale bez uśmiechu. Zanosi się na to, że wygra. Jego przeciwnik, wysoki blondyn, już o tym wie – broni się ze wzruszającą elegancją. Jest idyllicznie piękny, szlachetnie zbudowany – a przy tym jego klasyczne ciało z białego marmuru jakby mu przeszkadzało. Reguły gry nie pozwalają mu w pełni funkcjonować. Walczy beznadziejnie skrępowany. Powinien odrzucić niepotrzebną rakietę i pokazać małemu złośliwemu kociakowi siłę swoich marmurowych mięśni. Ale on, przeciwnie, uznaje reguły, poddaje się im, raczej zniesie klęskę i upokorzenie, niżby miał je złamać. Nieporadnie duży i jasny, sprawia wrażenie staroświeckiego rycerza. Będzie walczył czysto, jak idealny sportowiec, póki nie przegra ostatniego seta. I czy nie będzie z nim tak przez całe życie? Czy nie będzie się dawał wciągać w niewłaściwe gry, gry, do których nie jest stworzony, przez przeciwników szybkich, sprytnych i pozbawionych litości?

Gra jest okrutna, ale w tym okrucieństwie także zmysłowa i George'a natychmiast to podnieca. Z przyjemnością stwierdza, że jego zmysły tak szybko zareagowały – ostatnio zbyt często sprawiały wrażenie steranych życiem. Z całego serca dziękuje tym młodym bestiom za ich urodę. A oni nigdy się nie dowiedzą, ile zrobili, żeby uczynić mu tę chwilę piękną, a życie mniej wstrętnym...

– Przepraszam pana – mówi Dreyer – ale trochę się zgubiłem. Rozumiem, oczywiście, to, co pan powiedział o dwóch kulturach, ale co pan ma na myśli, mówiąc, że pan się zgadza z doktorem Leavisem? – Nie zwracając najmniejszej uwagi na tenisistów, Dreyer idzie odwrócony do nich bokiem, z całą mocą skoncentrowany na tym, co gada głowa George'a.

Bo głowa najwidoczniej cały czas mówi. George zdaje sobie z tego sprawę z tym samym niepokojem, jaki odczuwał na autostradzie, kiedy prowadził tkwiący w nim kierowca. To prawda, wie z doświadczenia, do czego jest zdolna jego gadająca głowa, zwłaszcza późnym wieczorem, kiedy pomaga mu – znudzonemu, zmęczonemu, pijanemu – dobrnąć do końca przyjęcia. Umie recytować wszystkie ulubione teorie George'a – dopóki ktoś nie zacznie z nimi polemizować: wtedy może się zaplątać. Zna co najmniej kilkanaście najlepszych jego anegdot. Ale tutaj, w biały dzień, na terenie uniwersytetu, kiedy George powinien być każdej chwili czujny, w pełni panować nad swoim występem! Czy to możliwe, że gadająca głowa i kierowca są w zmowie? A może planują fuzję?

– Nie mieliśmy czasu wejść głębiej w to zagadnienie – odpowiada gładko Dreyerowi. – Skądinąd chciałbym jeszcze raz przejrzeć odczyt Leavisa. Zdaje się, że mam jeszcze gdzieś w domu ten numer „Spectatora"... Nawiasem mówiąc, czy zabrałeś się do przeczytania tego artykułu o Mailerze, jakiś miesiąc temu, bodaj w „Esquire"? Od dawna nie widziałem czegoś równie dobrego...

Sala George'a ma dwoje drzwi w długiej bocznej ścianie, jedne z przodu, drugie w głębi. Większość studentów wchodzi tylnymi drzwiami, ponieważ z baranim uporem wolą się tłoczyć razem, oddzieleni od wykładowcy barykadą pustych krzeseł. Ale w tym semestrze grupa jest prawie tak duża, jak ilość miejsc na sali. Spóźnialscy, ku cichej satysfakcji George'a, muszą siadać coraz bliżej i w końcu zajmują nawet drugi rząd. Jeśli chodzi o pierwszy, którego większość tak uporczywie unika, George wypełnia go swoimi stałymi gośćmi; są to: Russ Dreyer, Tom Kugelman, siostra Maria, pan Stoessel, pani Netta Torres, Kenny Potter, Lois Yamaguchi.

George nigdy nie wchodzi do sali z Dreyerem albo innym studentem. Zabrania mu tego wrodzony zmysł dramatyczny. Właśnie do tego przydaje mu się gabinet – może się tam schronić przed wykładem tylko po to, żeby za chwilę wyjść i wykonać entrée. Nie egzaminuje w nim studentów, ponieważ gabinety służą z reguły co najmniej dwóm profesorom, a dr Gottlieb, specjalista od poetów metafizycznych, prawie nie opuszcza gabinetu. George nie potrafi rozmawiać z kimś tak, jakby byli sami, kiedy w rzeczywistości nie są sami. Nawet niewinne pytanie w rodzaju „Co naprawdę sądzisz o Tennysonie?" brzmi nieprzyzwoicie intymnie, łagodna zaś uwaga krytyczna w rodzaju „Tytuł tej pracy to pomieszanie dwóch metafor, które nic nie oznacza" pobrzmiewa niepotrzebnym okrucieństwem, jeśli doktor Gottlieb siedzi przy swoim biurku i słucha albo, co gorsza, udaje, że nie słucha. Ale Gottlieb najwyraźniej nie zdaje sobie z tego sprawy. Może zresztą mamy tu do czynienia z przesadną angielską skrupulatnością.

Teraz zatem, porzuciwszy Dreyera, George udaje się do gabinetu po drugiej stronie korytarza. O dziwo, nie ma w nim Gottlieba. George wygląda przez okno – rozchylając żaluzje – i w oddali widzi, że dwaj tenisiści kontynuują grę. Chrząka, nie patrząc, wertuje przez chwilę książkę telefoniczną, zasuwa pustą szufladę swojego biurka, która nie była domknięta. Potem nagle odwraca się, wyjmuje z szafy swoją teczkę, opuszcza gabinet i przechodzi do sali.

Tym razem jego entrée jest, wedle zwykłych kryteriów, pozbawione dramatyzmu. Niemniej tkwi w nim pewien subtelny efekt teatralny. Wejście George'a nie budzi fali uciszań. Większość studentów nie przerywa rozmowy. Ale wszyscy patrzą na niego, czekając, aż im da jakiś znak, choćby najdrobniejszy, że wykład zaraz się zacznie. Ten efekt to lekkie, ale stopniowo wzrastające napięcie, spowodowane tym, że George ociąga się z daniem tego znaku, a studenci na przekór temu nie przestają rozmawiać, póki on nie ustąpi.

Tymczasem stoi. Powoli, z namysłem, jak magik, wyjmuje z teczki jedną książkę i kładzie ją na pulpicie. W tym czasie jego oczy wędrują po twarzach obecnych. Usta wyginają się w nikłym, ale śmiałym uśmiechu. Niektórzy odpowiadają na ten uśmiech. Na George'a ten szczery, bezpośredni kontakt działa ożywczo. Czerpie siłę z ich uśmiechów, z ich mądrych, młodych oczu. Dla niego to jeden z najważniejszych momentów dnia. Czuje się świetnie, pełen werwy, odważny, nieco tajemniczy, a przede wszystkim – inny. Dobrze skrojony ciemny garnitur, biała koszula i krawat (jedyny krawat w tej sali) są bezgranicznie obce agresywnej męskości nieformalnych strojów, jakie mają na sobie studenci. A są to przeważnie sportowe buty, białe wełniane skarpetki bez podwiązek, zimą dżinsy, a latem szorty (opinające uda bermudy – wygodniejsze krótkie spodenki uważa się za niezbyt przyzwoite). Jeśli jest naprawdę gorąco, studenci zawijają rękawy, a niektórzy mają wyzywająco porozpinane koszule, odsłaniające owłosioną klatkę piersiową i medalik ze świętym Krzysztofem. Sprawiają wrażenie gotowych w każdej chwili przerzucić się ze studiowania na kopanie rowów albo na porachunki między gangami. Wyglądają trochę jak ulicznicy, zwłaszcza w porównaniu z koleżankami, które już wyrosły z dziewczęcego okresu plażowych spodenek, luźnych koszul i wielkich szop rozczapierzonych włosów. Są teraz dojrzałymi kobietami, przychodzą na zajęcia ubrane jak na najbardziej wytworne przyjęcie.

Tego ranka George stwierdza, że wszyscy stali bywalcy pierwszego rzędu są obecni. Właściwie prosił tylko Dreyera i Kugelmana o zajmowanie miejsc w pustym rzędzie; pozostali mają po temu własne powody. W czasie wykładu Dreyer wpatruje się w George'a z dodającą otuchy uwagą, ale George zdaje sobie sprawę, że tamten nie jest nim wcale zachwycony. Dla Dreyera George zawsze będzie uczonym-amatorem – ze względu na angielskie, a więc podejrzane, wykształcenie i stopnie naukowe. Niemniej jednak George jest szefem, „starym", toteż Dreyer, umacniając jego autorytet, umacnia zarazem strukturę wartości, po której sam się wspina. Pragnie zatem, żeby George błyszczał i olśniewał outsiderów – czyli praktycznie wszystkich innych studentów na tej sali. Zabawne, że Dreyer, mając wyraźne poczucie bezgranicznej lojalności, pozwala sobie szeptać do Kugelmana, swojego przybocznego, jak tylko przyjdzie mu na to ochota. George ma za każdym razem ochotę przerwać wykład i posłuchać, co oni o nim mówią. Instynktownie wyczuwa, że Dreyer nie ośmieliłby się mówić o kimś innym w trakcie wykładu – to dopiero uważałby za brak wychowania.

Siostra Maria należy do zakonu nauczycielskiego. Niebawem otrzyma dyplom i sama zacznie uczyć. Jest to niewątpliwie całkiem normalna, dobra, młoda kobieta; brak lotności nadrabia ciężką pracą. Niewątpliwie siedzi w pierwszym rzędzie, ponieważ pomaga jej to w koncentracji, ale może też i dlatego, że chłopcy nadal trochę ją interesują i chce uniknąć ich widoku. Wszyscy wszakże, z małymi wyjątkami, tracimy poczucie proporcji w obecności zakonnicy, i George także, mając przed oczyma oblubienicę Chrystusa, w nieugiętym średniowiecznym habicie, niepokoi się i wycofuje na pozycje obronne. Mimowolny najemnik legionów piekielnych prowadzi z ochotniczką zastępów niebieskich niesłychanie uprzejmą zimną wojnę. W każdym zwróconym do niej zdaniu nazywa ją siostrą, czego ona zapewne wcale nie pragnie.

Pan Stoessel siedzi w pierwszym rzędzie, bo jest głuchawy, niemłody, dopiero niedawno przyjechał z Europy i jego znajomość angielskiego jest po prostu żałosna.

Pani Netta Torres też nie jest młoda. Sprawia wrażenie, jakby zapisała się na zajęcia z czystej ciekawości albo dla wypełnienia wolnego czasu. Wygląda na rozwódkę. Siedzi w pierwszym rzędzie, ponieważ jest otwarcie i brutalnie zainteresowana George'em jako takim. Przypatruje mu się raczej, niż go słucha. Trochę tak, jakby czytała pośrednio jego słowa, odbierając jego gesty, modulacje, odruchy jako swego rodzaju alfabet Braille'a. Tej milczącej obserwacji towarzyszy matczyny uśmiech, ponieważ dla pani Torres George jest w gruncie rzeczy małym chłopcem: mały, a już taki mądry. George chętnie by ją przyszpilił i serią złych ocen nakłonił do wypisania się z jego grupy. Niestety, nie może. Pani Torres, patrząc, słucha równie uważnie – potrafi powtórzyć wszystko, co powiedział, słowo po słowie.

Kenny Potter siedzi w pierwszym rzędzie, bo jest, jak to się dzisiaj mówi, świrnięty – w tym sensie, że stara się robić wszystko na odwrót (nie z zasady i na pewno nie z potrzeby walki). Być może zresztą jest tylko zbyt roztrzepany, by dostrzegać obyczaje i nawyki plemienne, i zbyt leniwy, by ich przestrzegać. To wysoki szczupły chłopak wyjątkowo rozrośnięty w barach, włosy ma złotaworude, główkę małą, oczy też małe, jasnoniebieskie. Byłby w potocznym rozumieniu przystojny, gdyby nie zakrzywiony nos, skądinąd sympatyczny, duży, wesoły narząd.

George ma cały czas świadomość obecności Kenny'ego w sali, co nie oznacza, że uważa go za swojego sojusznika. Nie, nie, na Kennym nigdy nie można do końca polegać. Czasem, kiedy George zażartuje i Kenny wybucha głębokim, niepohamowanym śmiechem, ma wrażenie, że chłopak z niego się śmieje. Przy innych okazjach, kiedy śmiech pojawia się o ułamek sekundy później, George ma niesamowite wrażenie, że Kenny śmieje się nie z żartu, tylko z całej sytuacji: z amerykańskiego systemu edukacji, z wszystkich sił ekonomicznych, politycznych i psychologicznych, które zgromadziły ich tutaj, w tej sali. W takich chwilach George podejrzewa, że Kenny poznał ukryty sens życia – że jest, w samej rzeczy, swego rodzaju geniuszem (choć nikt by na to nie wpadł, czytając jego prace seminaryjne). Ale z drugiej strony może Kenny jest po prostu bardzo dziecinny, jak na swój wiek, powierzchownie miły i głupi.

Lois Yamaguchi siedzi obok Kenny'ego, ponieważ jest jego dziewczyną – w każdym razie zawsze trzymają się razem. Uśmiecha się do George'a w taki sposób, że ten zastanawia się niekiedy, czy ona i Kenny nie robią sobie żartów z jego osoby – ale czy można wiedzieć coś na pewno o tych zagadkowych Azjatach? Alexander Mong także śmieje się zagadkowo, choć w jego pięknej głowie z całą pewnością mieści się tylko grudkowata farba olejna. Lois i Alexander stanowią niewątpliwie dwie najpiękniejsze istoty w tej grupie – piękne rośliny, których nie mąci próżność, obawa ni wysiłek.

Tymczasem napięcie rośnie. George nie przestaje uśmiechać się do gadających, kontynuuje prowokacyjne, melodramatyczne milczenie. I teraz, wreszcie, po niemal pełnych czterech minutach, milczenie zwycięża. Rozmowy ustają. Ci, co już skończyli, uciszają innych. George zatryumfował. Ale ten tryumf trwa tylko chwilę. Bo teraz sam musi przerwać czar milczenia. Musi się pozbyć otoczki tajemniczości i odsłonić się przed nimi jako produkt seryjny, profesor, którego studenci muszą słuchać, bez względu na to, czy błaznuje, czy się jąka, czy przemawia językiem aniołów – tak, to nie gra roli. Grupa musi słuchać George'a, ponieważ, na mocy praw, jakich udzielił mu stan Kalifornia, może narzucać im i kazać zgłębiać swoje choćby najgłupsze przesądy, najbardziej zwariowane kaprysy – wszystko to jako klucz do rozwiązania zagadki: jak zaimponować, pochlebić lub w inny sposób nakłonić tego zgryźliwego starucha, żeby im postawił dobry stopień.

Niestety, teraz musi wszystko popsuć. Teraz musi przemówić.

„Po wielu, wielu latach umiera łabędź".

George obraca te słowa na języku z taką przesadną modulacją, z tak bezwstydnym rozkoszowaniem się, że brzmi to jak parodia recytacji w wykonaniu W.B. Yeatesa. (Kładzie wielki nacisk na słowo „umiera", żeby nadrobić brak słówka „Oto", które Aldous Huxley obciął na początku pierwotnego wersu). Potem, zadowolony, że udało mu się zaskoczyć lub zaniepokoić przynajmniej kilkoro słuchaczy, rozgląda się po sali z ironicznym uśmieszkiem i dodaje powoli, mentorskim tonem:

– Zakładam, że zdążyliście państwo przeczytać tę powieść Huxleya, zważywszy, że prosiłem was o to przed trzema z górą tygodniami.

Kątem oka dostrzega wyraźną konsternację Buddy'ego Sorensena, czego można się było spodziewać, oraz pełne oburzenia („pierwsze słyszę") wzruszenie ramion Estelle Oxford, co jest już sprawą poważniejszą. To jedna z jego najzdolniejszych studentek. A ponieważ jest taka zdolna, większą niż u innych kolorowych studentów rolę odgrywa u niej fakt, że jest Murzynką; można tu nawet mówić o przewrażliwieniu. George podejrzewa, że ona podejrzewa go o wszelkie możliwe odmiany subtelnej dyskryminacji. Może nie była na zajęciach, kiedy kazał im przeczytać tę powieść. Cholera, trzeba to było zauważyć i powiedzieć jej później. Ona go trochę onieśmiela. Poza tym lubi ją i dlatego teraz mu przykro. Poza tym nie podoba mu się sposób, w jaki dała mu to odczuć.

– Zresztą – mówi jak najuprzejmiej – jeśli ktoś jeszcze nie przeczytał, nie ma to aż takiego znaczenia. Posłuchajcie tego, co wam dzisiaj powiem, a potem możecie przeczytać książkę i ocenić, czy się ze mną zgadzacie, czy nie.

Patrzy na Estelle i uśmiecha się do niej. Ona odpowiada uśmiechem. Tak więc, tym razem, wszystko jest w porządku.

– Tytuł jest oczywiście cytatem z wiersza Tennysona *Titonos*. Ale, ale, skoro o tym mówimy – kto to był Titonos?

Cisza. Patrzy po twarzach studentów. Nikt nie wie. Nawet Dreyer nie wie. Mój Boże, jakie to typowe! Titonos ich nie interesuje, bo jest o dwie długości od bieżącego tematu. Huxley, Tennyson, Titonos. Są gotowi zainteresować się Tennysonem, ale nie zrobią następnego kroku. Ich ciekawość tu się kończy. Ponieważ, w gruncie rzeczy, gówno ich to wszystko obchodzi...

– Naprawdę chcecie państwo powiedzieć, że nikt was nie wie, kto to był Titonos? Że nikomu nie chciało się sprawdzić? Proszę bardzo, radzę zatem wszystkim, żeby część najbliższego weekendu poświęcili na lekturę *Mitów greckich* Gravesa, a także samego wiersza. Muszę powiedzieć, że nie jestem w stanie pojąć, jak można udawać zainteresowanie jakąś powieścią i nawet przez chwilę nie zastanowić się, co znaczy jej tytuł.

Gdy tylko skończył mówić, zaraz pożałował tego upustu złego humoru. No proszę, zaczyna zrzędzić! A co gorsza, nigdy nie wie, kiedy zaczyna się w ten sposób zachowywać. Nie ma czasu, żeby się opanować. Zawstydzony, unikając ich oczu – zwłaszcza Kenny'ego Pottera – wbija wzrok w górną połowę przeciwległej ściany.

– A zatem zacznijmy od samego początku. Afrodyta przyłapała kiedyś swego kochanka Aresa w łóżku z Eos, boginią jutrzenki. (Przy okazji radzę, posprawdzajcie ich wszystkich). Afrodyta była oczywiście wściekła i przeklęła Eos, budząc w niej skłonność do przystojnych młodych śmiertelników – żeby ją oduczyć uganiania się za cudzymi bogami.

(Z poczuciem ulgi George słyszy w tym miejscu chichot – już się obawiał, że, urażeni jego wymówkami, będą siedzieli nadąsani). Nie opuszczając wzroku, ciągnie dalej, z ledwie słyszalnym rozbawieniem w głosie:

– Eos była tą skłonnością bardzo skrępowana, ale nie mogła jej opanować, więc zaczęła porywać i uwodzić młodych ziemian. Jednym z nich był Titonos. Właściwie to razem z nim porwała też jego brata Ganimedesa – dla towarzystwa... – (Głośniejsze chichoty, tym razem z różnych stron sali). – Niestety, Zeus ujrzał Ganimedesa i zakochał się w nim bez pamięci. – (Jeśli siostra Maria czuje się zbulwersowana, to trudno. George nie patrzy na nią, tylko na Wally'ego Bryanta – który jest w takich razach niezawodny – i, rzeczywiście, Wally chichocze z upodobaniem). – Wiedząc zatem, że i tak będzie musiała oddać Ganimedesa, Eos spytała Zeusa, czy – w rewanżu – nie mógłby obdarzyć Titonosa nieśmiertelnością? Zeus odparł na to, że oczywiście, czemu nie? I obdarzył. Ale Eos była głupia, zapomniała go poprosić, żeby zarazem dał Titonosowi wieczną młodość. Nawiasem mówiąc, coś takiego łatwo można było urządzić. Selene, bogini księżyca, załatwiła to dla swego Endymiona. Kłopot tylko w tym, że Selene myślała jedynie o całowaniu, a Endymion miał inne ambicje, więc żeby go uspokoić, pogrążyła go w wiecznym śnie. A co to za przyjemność być wiecznie pięknym, jeśli nie można się obudzić i przejrzeć się w lustrze. – (Teraz wszyscy się uśmiechają, nawet siostra Maria. George promienieje. Nienawidzi sprzeczek). – Na czym stanąłem? Aha, więc biedny Titonos stopniowo stawał się odrażająco nieśmiertelnym staruchem... – (Głośny śmiech). – A Eos, z bezwzględnością właściwą boginiom, znudziła się nim i trzymała go w ukryciu. On zaś coraz bardziej dziecinniał i dziecinniał, głos miał coraz bardziej i bardziej piskliwy, aż w końcu zamienił się w cykadę.

Reakcja żałośnie wątła. George nie oczekiwał zresztą, że będzie inaczej. Pan Stoessel denerwuje się, że nie zrozumiał, i bombarduje Dreyera dramatycznym szeptem. Dreyer półgłosem udziela wyjaśnień, które tylko pogłębiają nieporozumienie. Wreszcie pan Stoessel chwyta i woła:

- *Ach, so, eine Zikade!* - tonem wymówki, insynuującym, że to George i cały świat anglo-amerykański źle wymawia to słowo. Ale George już zaczął od nowa – i to z innych pozycji. Już o nich nie zabiega, już ich nie zabawia – mówi im wprost, autorytatywnie. To głos sędziego, który reasumuje sprawę i przekazuje ją ławie przysięgłych.

– Jasna jest generalna przyczyna, dla której Huxley wybrał taki właśnie tytuł. Będziecie jednak musieli postawić sobie pytanie, jak dalece będzie się on stosował w szczegółach do akcji powieści. Można na przykład przyjąć, że piąty earl Gonister jest odpowiednikiem Titonosa i na koniec staje się małpą, jak Titonos stał się owadem. Ale co z Jo Stoyte? I co z doktorem Obispo? Przypomina on bardziej Fausta Goethego niż Zeusa. A kim jest Eos? Na pewno nie Virginią Maunciple. Chociażby dlatego, że ta lubi sobie pospać.

Nikt nie rozumie żartu. George'owi często zdarza się zmarnować dowcip, kiedy, wbrew doświadczeniu, mamrocze go pod nosem na modłę angielską. Nieco rozgoryczony brakiem aplauzu mówi dalej, tonem nieomal pogróżki:

– Zanim jednak pójdziemy dalej, musicie się zastanowić, o czym właściwie traktuje ta powieść.

Zastanawiają się przez resztę godziny.

Na początku, jak zwykle, panuje martwa cisza. Grupa siedzi, jakby się wpatrywała w niezwykle znaczeniowo pojemne sformułowanie. O CZYM? O CZYM TRAKTUJE TA POWIEŚĆ? A raczej, o czym George chce, żeby mu powiedzieli, że traktuje ta powieść? Powiedzą, że jest o tym, o czym zechce, o czymkolwiek. Ponieważ prawie wszyscy, pomimo tego, czego uczono ich na studiach, w głębi duszy uważają, że pytanie O CZYM jest wyszukaną i męczącą zabawą. Jeśli zaś chodzi o mniejszość, o tych, co tak bardzo wyćwiczyli się w odpowiadaniu na pytanie O CZYM, że weszło im to w krew i teraz marzą o napisaniu pewnego dnia książki typu O CZYM, poświęconej Faulknerowi, Jamesowi czy Conradowi, która udowodni, że wszystkie dotychczasowe książki typu O CZYM na ten temat są o niczym – ci przez jakiś czas jeszcze nie zamierzają zabierać głosu. Czekają na chwilę, kiedy niczym błyskotliwy detektyw będą mogli wystąpić z własnym wyjaśnieniem zbrodni Huxleya. Na razie niech się męczą płotki. Najpierw trzeba poruszyć szlam na dnie.

Od poruszania szlamu jest Alexander Mong. On oczywiście wie, co robi. Nie jest głupi. Może nawet należy to do jego filozofii malarza abstrakcjonisty, żeby wszelką figuratywność uważać za dziecinadę. Człowiek rasy białej popadłby przy tym w agresywny ton, ale Alexandrowi to nie grozi. Z pięknym chińskim uśmieszkiem mówi:

– To jest o bogatym facecie, który jest zazdrosny, bo się obawia, że jest za stary dla tej swojej dziewczyny, i myśli, że ten młody chłopak ma na nią chrapkę, a tamten wcale nie, ale ten i tak nie ma szans, bo między nią i jednym doktorem już do tego doszło. Więc ten bogaty zabija młodego przez pomyłkę, a doktor daje im alibi i potem wszyscy jadą do Anglii, gdzie spotykają tego typka earla, który zabawia się z dziewczyną w piwnicy...

Przerwał mu wybuch śmiechu. George uśmiecha się figlarnie i mówi:

– Zapomniał pan o panu Pordage i o panu Propterze – co oni robią?

– Pordage? Aha, to ten, który wykrył, że earl jadł tę głupią rybę...

– Karpia.

– Właśnie. A Propter... – Alexander szczerzy zęby i drapie się po głowie, małpując. – Przepraszam bardzo, proszę mnie usprawiedliwić. Wie pan, nie mogłem uderzyć w kimono do drugiej w nocy, próbując się w tym wszystkim rozeznać. To nie moja para kaloszy.

Jeszcze głośniejszy śmiech. Alexander spełnił swoje zadanie. Z humorem przedstawił sprawę na użytek filistrów. Teraz języki się rozwiązały, można przystąpić do śledztwa.

A oto niektóre jego wyniki:

Pan Propter nie powinien był mówić, że ego nie istnieje; dowodzi to jego braku wiary w naturę człowieka.

Ta powieść to jałowy, abstrakcyjny mistycyzm. A zresztą, po co komu wieczność?

Ta powieść jest mądra, ale cyniczna. Huxley powinien się zająć cieplejszymi ludzkimi uczuciami.

Ta powieść jest pięknym, uduchowionym kazaniem. Uczy nas, że nie należy zanadto wnikać w sekrety życia. Nie należy igrać z wiecznością,

Huxley jest cudownie naiwny. Chciałby się pozbyć ludzi i stworzyć świat sprzyjający zwierzętom i duchom.

Powiedzieć, że czas jest zły, ponieważ zło występuje w czasie, to tak, jak powiedzieć, że ocean jest rybą, bo ryby występują w oceanie.

Pan Propter nie ma życia seksualnego. To sprawia, że jako postać jest nieprzekonujący.

Życie seksualne pana Proptera jest nieprzekonujące.

Pan Propter jest demokratą à la Jefferson, anarchistą, bolszewikiem, wzorowym członkiem John Birch Society.

Pan Propter jest eskapistą. Świadczy o tym jego rozmowa z Pete'em na temat wojny domowej w Hiszpanii. Pete był porządnym chłopakiem, póki go pan Propter nie przekabacił, aż doznał załamania nerwowego i uwierzył w Boga.

Huxley dobrze rozumie kobiety. Świetnym pomysłem był skuter Virginii, pomalowany na różowo.

Itede, itepe...

George stoi pośród nich uśmiechnięty, prawie się nie odzywa, pozwala im rozwinąć skrzydła. Czuwa nad powieścią jak właściciel odpustowej strzelnicy, który zachęca tłuszczę do rzucania lotkami i niszczenia celów – reszta jest zabawą. Trzeba jednak przestrzegać pewnych generalnych reguł. Kiedy ktoś zaczyna mówić o meskalinie i o LSD, zakładając, że Huxley jest nieomal narkomanem, George zwięźle oponuje. Kiedy ktoś inny próbuje nieśmiało przekręcić klucz tej powieści z kluczem. – Czy nie ma, czy nie można by mówić o jakimś związku pomiędzy pewną damą z półświatka a tym, że Jo Stoyte strzela do Pete'a? – George zdecydowanie odrzuca ów pomysł: Tego rodzaju fabuły wyeksploatowano doszczętnie w latach trzydziestych.

Wreszcie pada pytanie, którego się spodziewał. Zadaje je, oczywiście, Myron Hirsch, niestrudzony specjalista od kłopotliwych pytań dla gojów.

– Proszę pana, tutaj na stronie siedemdziesiątej dziewiątej Propter mówi, że „bez powodu mieli mnie w nienawiści", to najgłupsze zdanie w Biblii. Czy chodzi mu o to, że hitlerowcy mieli prawo nienawidzić Żydów? Czy Huxley jest antysemitą?

George nabiera tchu.

– Nie – odpowiada spokojnie.

A potem, po przerwie wypełnionej brzemienną ciszą (śmiałość Myrona poraziła klasę), powtarza, głośno i surowo:

– Nie, Huxley nie jest antysemitą. Hitlerowcy nie mieli prawa nienawidzić Żydów. Ale to nie znaczy, że ich nienawiść do Żydów nie miała przyczyny. Każda nienawiść ma jakąś przyczynę...

– Może wyłączymy z tego Żydów, dobrze? Bez względu na zajmowane stanowisko nie da się dziś obiektywnie dyskutować na temat Żydów. I przypuszczalnie nie będzie to możliwe przez następne dwadzieścia lat. Rozważmy więc tę kwestię na przykładzie jakiejś innej mniejszości, dowolnej, byle małej, takiej, która nie jest zorganizowana, w której obronie nie stoją żadne komitety...

George patrzy na Wally Bryanta promiennym wzrokiem, który mówi: jestem z tobą, bracie w mniejszości. Wally jest pulchny, cerę ma ziemistą, a pieczołowitość, z jaką dba, by mieć zawsze starannie uczesane falujące włosy, spiłowane i wypolerowane paznokcie oraz dyskretnie wyskubane brwi, sprawia, że patrzy się na niego z jeszcze mniejszą przyjemnością. Najwyraźniej zrozumiał wzrok George'a. Jest zażenowany. Trudno! George zamierza udzielić mu lekcji, której nigdy nie zapomni. Chce zmusić Wally'ego, żeby spojrzał w głąb swojej nieśmiałej duszy. Ma zamiar dać mu odwagę do odcięcia się od polerowanych paznokci, do sprostania prawdzie własnego życia...

– No bo na przykład piegowaci nie są uważani za mniejszość przez tych, co nie mają piegów. Nie są mniejszością w tym znaczeniu, o jakim tutaj mówimy. A dlaczego nie są? Bo mniejszość traktuje się jako mniejszość tylko wtedy, kiedy stwarza ona dla większości jakieś zagrożenie, prawdziwe lub wyimaginowane. Zresztą, żadne zagrożenie nie jest nigdy całkiem wyimaginowane. Czy ktoś się z tym nie zgadza? Jeśli tak, to proszę sobie zadać pytanie: Co by dana mniejszość zrobiła, gdyby z dnia na dzień stała się większością. Rozumiecie, o co mi chodzi? Jeśli nie, zastanówcie się nad tym.

No, dobrze. A teraz pojawiają się liberałowie – nie wyłączając, jak mniemam, wszystkich tu obecnych – i mówią: „Mniejszość to też ludzie, tak jak my". Oczywiście mniejszości to też ludzie, ale właśnie ludzie, nie anioły. Są tacy jak my, ale niedokładnie tacy sami; mamy tu do czynienia z aż za dobrze znanym stanem liberalnej histerii, kiedy to człowiek zaczyna sobie wmawiać, że naprawdę nie widzi żadnej różnicy pomiędzy Murzynką a Szwedem... – (Czemu, ach czemu nie ośmielił się powiedzieć „pomiędzy Estelle Oxford a Buddym Sorensenem"? Gdyby się na to zdobył, nastąpiłaby może wielka atomowa eksplozja śmiechu, wszyscy padliby sobie w ramiona i rozpoczęłoby się królestwo niebieskie, właśnie tutaj, w sali 278. A może wcale by się nie rozpoczęło?).

– Tak więc nie oszukujmy się – mniejszości są to ludzie, którzy najczęściej wyglądają, postępują lub myślą inaczej niż my i którzy mają inne niż my przywary. Może się nam nie podobać ich wygląd i postępowanie, możemy nienawidzić ich przywar. I wtedy lepiej będzie, jeśli przyznamy, że ich nie lubimy czy nawet nienawidzimy, niż jeśli z pseudoliberalnym sentymentalizmem zaczniemy skrywać nasze odczucia. Kiedy jesteśmy szczerzy w kwestii swoich uczuć, mamy wentyl bezpieczeństwa, a kiedy mamy wentyl bezpieczeństwa, zmniejsza się prawdopodobieństwo, że weźmiemy się za prześladowanie. Wiem, że to dziś niemodna teoria. Wszyscy staramy się wierzyć, że jeśli jakiejś sprawy dostatecznie długo nie będziemy dopuszczali do świadomości, ona po prostu zniknie...

Na czym to stanąłem? Aha. Więc teraz załóżmy, że daną mniejszość zacznie się prześladować, mniejsza o to z jakich powodów – politycznych, ekonomicznych czy psychologicznych. Zawsze jest jakiś powód, choćby najzupełniej niesłuszny – przy tym obstaję. A oczywiście każde prześladowanie jest niesłuszne – jestem pewien, że w tym punkcie wszyscy się ze mną zgodzicie. Najgorsze jednak w tym wszystkim, że oto dochodzimy do następnej herezji liberałów. Ponieważ prześladująca większość jest zła, powiada liberał, prześladowana mniejszość musi być tym bardziej niepokalanie czysta. Czyż nie rozumiecie, jaki to nonsens? A co z obroną złych przed prześladowaniami ze strony jeszcze gorszych? Czy wszyscy chrześcijanie, męczeni na rzymskich arenach, musieli być świętymi?

Powiem wam coś jeszcze. Mniejszość wytwarza własną odmianę agresywności. To właśnie prowokuje większość do ataku. Mniejszość nienawidzi większości – nie bez powodu, daję słowo. Mniejszość nienawidzi też innych mniejszości, ponieważ wszystkie ze sobą współzawodniczą: każda głosi, że jej cierpienia są największe, jej krzywdy najczarniejsze. I im bardziej te mniejszości nienawidzą, im bardziej są prześladowane, tym stają się gorsze! Czy sądzicie, że ludzie stają się gorsi, jeśli ich kochać? Dobrze wiecie, że nie. Więc dlaczego mieliby szlachetnieć, kiedy się ich nienawidzi? Kiedy jesteście prześladowani, nienawidzicie tego, co ktoś wam wyrządza, nienawidzicie ludzi, którzy to czynią, słowem żyjecie w świecie nienawiści. Do tego stopnia, że nie rozpoznalibyście miłości, gdyby się wam przydarzyła! Podejrzewalibyście ją! Uważalibyście, że coś się za tym kryje, jakiś inny motyw, jakaś pułapka...

W tej chwili George nie wie już, czego dowiódł, czy co obalił, po której stronie się opowiedział, jeśli w ogóle się opowiedział. Nie wie nawet dokładnie, o czym mówi. A przy tym te zdania płyną mu z ust z autentyczną pasją. Wierzy w nie, nie zważając, czy mają sens. Rozdaje je jak smagnięcia biczem, żeby poruszyć Wally'ego, i Estelle, i Myrona, i całą resztę. Kto ma uszy do słuchania, niechaj go słucha...

Wally nadal sprawia wrażenie zażenowanego, ale z pewnością nie jest poruszony. I nagle George zdaje sobie sprawę, że wzrok Wally'ego nie spoczywa już na jego twarzy: uniósł się i utkwił gdzieś za nim, na ścianie, którą ma za plecami. I teraz, omiatając salę szybkim spojrzeniem, jąkając się przy tym i tracąc impet, George widzi, że inne oczy też się uniosły i spoczywają na tym cholernym zegarze. Nie musi się odwracać, nie musi sprawdzać – wie, że przekroczył czas. Przerywa szorstko, mówiąc:

– Wrócimy do tego w poniedziałek.

A oni natychmiast zrywają się z miejsc, zbierają książki, zaczynają gadać.

W końcu czego innego można od nich oczekiwać? Prawie wszyscy śpieszą się na następne zajęcia, które mają się zacząć za dziesięć minut. Niemniej jednak George nastroszył pióra. Dość dużo czasu upłynęło, odkąd ostatni raz zapomniał się i ot tak dał sobie wypuścić powietrze, i to tuż pod koniec wywodu. Jakie to upokarzające! Stary profesor, nawiedzony entuzjasta, gada i gada, nie patrząc na zegarek, a grupa mruczy pod nosem: „Znowu się zagalopował". Przez krótką chwilę George nienawidzi ich, nienawidzi ich brutalnej, małej obojętności, patrząc, jak szybko wymykają się z sali. Raz jeszcze publicznie zaoferowano im brylant za grosz, a oni odwrócili się ze wzruszeniem ramion i szyderczym uśmiechem, myśląc, że stary komiwojażer zwariował.

Tym życzliwiej uśmiecha się więc do tych trojga, którzy zostali, żeby go o coś zapytać. Ale siostra Maria chce się tylko dowiedzieć, czy George będzie wymagał, żeby do końcowego egzaminu przeczytali wszystkie książki wzmiankowane w powieści Huxleya. George myśli, że byłoby zabawnie odpowiedzieć: „Tak, łącznie ze *120 dniami Sodomy*", ale się, oczywiście, powstrzymuje. Zapewnia ją, że nie, a ona odchodzi uszczęśliwiona, że aż o tyle zmniejszyły jej się studenckie obowiązki.

A potem Buddy Sorensen chce się tylko usprawiedliwić.

– Przepraszam, panie profesorze. Nie przeczytałem Huxleya, bo myślałem, że przedtem będzie pan to chciał z nami przerobić.

Czy to czysta głupota, czy wyrachowanie? George nie ma ochoty rozstrzygać.

– Precz z bombą! – mówi, patrząc na znaczek na piersi Buddy'ego, a Buddy, który już to od niego słyszał, uśmiecha się rozradowany.

– Tak, panie profesorze, oczywiście!

Pani Netta Torres chciałaby wiedzieć, czy Huxley miał na myśli jakąś konkretną angielską wioskę, kiedy opisywał Gonister. George nie umie na to odpowiedzieć. Mówi jej tylko, że w ostatnim rozdziale, kiedy Obispo, Stoyte i Virginia wyruszają na poszukiwanie piątego earla, najprawdopodobniej jadą z Londynu w kierunku południowo-zachodnim. Można zatem przypuszczać, że Gonister powinno leżeć gdzieś w Hampshire albo w Sussex.

Ale teraz nagle zdaje sobie sprawę, że pytanie pani Torres było tylko pretekstem. Poruszyła ona temat

Anglii po to, żeby mu powiedzieć, że spędziła tam trzy niezapomniane tygodnie przed dziesięciu laty. Tyle że głównie przebywała w Szkocji, a tylko trochę w Londynie.

– Zawsze, jak pan do nas mówi – oznajmia George'owi, a jej oczy myszkują po jego twarzy – przypomina mi się ten piękny akcent. To jest jak muzyka.

(George ma ochotę zapytać, który akcent ma na myśli. Może cockney albo gorbals?). I teraz pani Torres chce wiedzieć, gdzie się urodził, on jej mówi, a ona nigdy tej nazwy nie słyszała. George korzysta z jej chwilowego zakłopotania, by przerwać to tête-à-tête.

Raz jeszcze przydaje się gabinet; George chroni się w nim przed panią Torres. Tym razem zastaje doktora Gottlieba.

Gottlieb bardzo się ekscytuje, bo właśnie dostał z Anglii książkę o Francisie Quarlesie, napisaną przez profesora z Oksfordu. Gottlieb prawdopodobnie na temat Quarlesa wie równie dużo jak tamten profesor. Ale Oksford, unoszący się w całym swym majestacie za plecami profesora, jego uczonego syna, kompletnie paraliżuje biednego Gottlieba, który przyszedł na świat w jednej z gorszych dzielnic Chicago.

– Można sobie wyobrazić – mówi Gottlieb – jakiego potrzeba zaplecza, żeby dokonać takiego dzieła.

George słucha tego ze smutkiem i przygnębieniem, ponieważ najwyraźniej największym marzeniem w życiu Gottlieba jest zamienić się w tego żałosnego profesora z Oksfordu i nauczyć się pisać jego złośliwie żartobliwym, mentorsko cierpkim stylem.

Potrzymawszy książkę przez chwilę i przerzuciwszy kilka kartek z należytym szacunkiem, George dochodzi do wniosku, że powinien coś zjeść. Pierwsi ludzie, jakich rozpoznaje po wyjściu z budynku, to Kenny Potter i Lois Yamaguchi. Siedzą na trawie pod jednym ze świeżo posadzonych drzew. To jest jeszcze mniejsze od pozostałych. Ma góra dziesięć liści. Sama myśl o tym, że ktoś mógłby pod czymś takim siedzieć, wydaje się śmieszna – może dlatego Kenny wybrał właśnie to drzewko. On i Lois wyglądają jak dwoje dzieci, które się bawią w Robinsona na jednym z atolów Pacyfiku. Na myśl o tym George uśmiecha się do nich. Odpowiadają mu uśmiechem, a po chwili Lois zaczyna się śmiać – delikatnie, wstydliwie, po japońsku. George przesuwa się w pobliżu ich atolu, jak mógłby przepływać parowiec, ale nie przystaje. Lois odgadła, czym jest, więc macha do niego radośnie, jakby machała do parowca, uroczo wyginając swą drobną, filigranową rękę. Kenny też macha, ale można powątpiewać, czy i on wie – po prostu naśladuje Lois. Tak czy siak ich machanie polepsza George'owi humor. Odpowiada machaniem. Stary parowiec i młodzi rozbitkowie wymienili sygnały – ale nie było to wołanie o pomoc. Szanują cudzą prywatność. Nie pragną zaangażowania. Po prostu dobrze sobie życzą. I znów, jak przy tenisistach, George czuje, że to jasny moment w jego dniu. Tym razem to odczucie nie jest wcale niepokojące – działa kojąco, promienieje. George rusza pełną parą w stronę kantyny, uśmiechając się pod nosem i wcale nie pragnąc się odwracać.

Ale nagle słyszy „Proszę pana!" tuż za plecami, obraca się i widzi Kenny'ego. Musiał za nim cicho pobiec w tenisówkach. George przypuszcza, że Kenny zada mu jakieś konkretne pytanie w rodzaju, jaką książkę będą przerabiać w następnej kolejności, po czym sobie pójdzie. Kenny jednak dotrzymuje mu kroku, rzucając rzeczowym tonem:

– Muszę pójść do księgarni.

Nie pyta, czy George wybiera się do księgarni, a George nie mówi, że wcale nie miał takiego zamiaru.

– Czy pan kiedyś zażywał meskalinę?

– Tak, raz, w Nowym Jorku, jakieś osiem lat temu. Nie było wtedy przepisów zabraniających sprzedaży. Po prostu poszedłem do apteki i poprosiłem o meskalinę. Nigdy o czymś takim nie słyszeli, ale sprowadzili ją dla mnie w ciągu paru dni.

– I miał pan po tym wizje, w rodzaju doznań mistyków?

– Nie. Nic, co można by nazwać wizjami. Najpierw było mi mdło. Ale nie za bardzo. No i oczywiście trochę się bałem. Mógł się tak czuć dr Jekyll, kiedy po raz pierwszy zażył lekarstwo. A potem niektóre kolory pojaśniały i zaczęły się wyodrębniać. Dziwiło mnie, dlaczego inni ich nie zauważają. Pamiętam czerwoną damską torebkę, która leżała w restauracji na stoliku – niczym publiczny skandal! Twarze stają się własnymi karykaturami w tym sensie, że widziałem, co się za każdą z nich kryje, bardzo brutalnie, w uproszczeniu. Jedna była absolutnie próżna, inna dosłownie zamartwiała się na śmierć, trzecia szukała zwady. A potem kilka po prostu pięknych – dlatego, że nie było w nich lęku ani agresji, przyjmowały życie takim, jakim ono jest... A potem wszystko stawało się coraz bardziej trójwymiarowe: zasłony tężały i wyglądały jak fałdy pomnika, a drewno pokazywało słoje. Kwiaty i inne rośliny ożywały. Pamiętam wazon z fiołkami – wprawdzie się nie przemieszczały, ale wiedziałem, że potencjalnie mogły. Każdy był niczym wąż, wyprężony na łodyżce... A potem, kiedy ruszyło na dobre, ściany pokoju i powietrze, i słoje drewna, wszystko to popłynęło, jakby było płynem... Wreszcie powoli wszystko zamiera, powraca do normalności. Nie ma się kaca. Ja po tym czułem się świetnie. Zjadłem solidną kolację.

– I potem nigdy już pan nie brał?

– Nie. Stwierdziłem, że nie mam szczególnej ochoty. To był tylko eksperyment. Resztę kapsułek oddałem przyjaciołom. Jedni widzieli mniej więcej to samo co ja, a drudzy nic nie widzieli. Jedna osoba powiedziała mi, że pierwszy raz w życiu tak się przestraszyła. Ale myślę, że po prostu chciała być uprzejma. Jak wtedy, gdy dziękuje się za udane przyjęcie.

– Nie została już panu ani jedna kapsułka?

– Nie, Kenny, naprawdę. A nawet gdybym miał meskalinę, nie rozprowadzałbym jej wśród studentów. Mogę sobie wyobrazić kilka zabawniejszych sposobów na to, żeby mnie stąd wyrzucili.

Kenny uśmiecha się.

– Przepraszam. Pytałem ze zwykłej ciekawości... Zresztą myślę, że gdyby mi na tym naprawdę zależało, mógłbym to bez większego trudu zdobyć. Można dostać większość tych rzeczy na terenie uniwersytetu. Przyjaciel Lois raz dostał. On twierdzi, że kiedy to zażył, ujrzał Boga.

– Cóż, może i ujrzał. Widocznie wziąłem za małą dawkę.

Kenny spogląda na George'a z góry, wyraźnie rozbawiony.

– Powiedzieć coś panu, profesorze? Założę się, że nawet gdyby pan naprawdę zobaczył Boga, nic by pan nam o tym nie powiedział.

– Dlaczego tak sądzisz?

– Tak mówi Lois. Ona uważa, że pan jest... zamknięty w sobie, skryty. Na przykład dzisiaj, kiedy się pan przysłuchiwał temu naszemu gadaniu o Huxleyu...

– Nie zauważyłem, żebyś był specjalnie gadatliwy. Chyba ani razu nie otworzyłeś ust.

– Obserwowałem pana. Naprawdę uważam, że Lois ma rację! Pozwala nam pan gadać chaotycznie, a potem naprowadza nas na trop. Nie mogę powiedzieć, uczy nas pan wielu interesujących rzeczy, to prawda, ale nigdy nie mówi nam pan wszystkiego, co pan wie na dany temat...

George jest mile połechtany i podekscytowany. Kenny nigdy do niego w ten sposób nie mówił. Nie może się oprzeć pokusie, by nie przyjąć ofiarowanej mu przez Kenny'ego roli.

– Cóż, może to i prawda, przynajmniej do pewnego stopnia. Widzisz, Kenny, są pewne rzeczy, co do których nawet nie wiesz, że je znasz, dopóki ktoś się ciebie o to nie spyta.

Doszli do kortów tenisowych. Teraz wszystkie są zajęte, upstrzone ruchliwymi postaciami. Ale George wężowo szybkim spojrzeniem nałogowca dostrzegł już, że poranna para zeszła z kortu i że żaden z graczy nie jest fizycznie pociągający. Na najbliższym korcie grubawy asystent w średnim wieku walczy z potem, jego partnerka ma owłosione nogi.

– Ktoś musi ci zadać pytanie – ciągnie z rozmysłem George – żebyś mógł na nie odpowiedzieć. Ale rzadko zdarza się spotkać człowieka, który by umiał zadawać właściwe pytania. Na ogół ludzie nie są aż tak ciekawi odpowiedzi...

Kenny milczy. Czy zastanawia się nad tą kwestią, czy zamierza od razu George'a o coś zapytać? George'owi z emocji silniej bije puls.

– Nie wynika z tego, że rozmyślnie chcę być skryty – mówi George, patrząc w ziemię i starając się zachować ton bezosobowy. – Powiem ci, Kenny, że często mam ochotę opowiadać o różnych rzeczach, dyskutować, absolutnie szczerze. Oczywiście nie w grupie, to by nie zdało egzaminu, na pewno ktoś by mnie źle zrozumiał...

Cisza. George spogląda ukradkiem na Kenny'ego i widzi, że chłopak wpatruje się, choć bez wyraźnego zainteresowania, w bujnowłosą dziewczynę. Być może wcale nie słuchał. Trudno wyczuć.

– Może ten przyjaciel Lois tak naprawdę wcale nie widział Boga – mówi nagle Kenny. – To znaczy może on to sobie wmówił. To znaczy... wkrótce po tym, jak to zażył, miał załamanie nerwowe. Siedział w zakładzie przez trzy miesiące. Powiedział potem Lois, że kiedy miał to załamanie, zamieniał się w diabła i miał moc gaszenia gwiazd. Naprawdę! Powiedział, że jest w stanie gasić po siedem naraz. Ale bał się policji. Mówił, że policjanci mają maszynę do łapania i likwidowania diabłów. Nazywała się ta maszyna MO. MO to OM – wie pan, hinduskie słowo na oznaczenie Boga – czytane od tyłu.

– Skoro policjanci likwidują diabłów, to znaczy, że sami są aniołami. Tak, to się trzyma kupy. Miejscem, w którym policjanci są aniołami, może być tylko szpital dla wariatów.

Kenny wciąż się z tego w głos zaśmiewa, kiedy wchodzą do księgarni. Chłopak chce kupić temperówkę. Są w plastykowych uchwytach – czerwone, zielone, niebieskie i żółte. Kenny wybiera czerwoną.

– A co pan kupuje?

– Właściwie nic.

– Chce pan powiedzieć, że doszedł pan aż tutaj po to tylko, żeby mi dotrzymywać towarzystwa?

– Tak. Co w tym złego?

Kenny jest naprawdę mile zaskoczony.

– W takim razie uważam, że coś się panu za to należy. Proszę wybrać sobie temperówkę, ja płacę.

– Ależ... dobrze, dziękuję! – odpowiada George, lekko się rumieniąc. To tak, jakby mu ktoś podarował różę. Wybiera żółtą.

Kenny uśmiecha się:

– Myślałem, że weźmie pan niebieską.

– Dlaczego?

– Czyż niebieski nie jest uduchowiony?

– Dlaczego sądzisz, że chciałbym być uduchowiony? I dlaczego sam wziąłeś czerwoną?

– A co oznacza czerwień?

– Furię i pożądliwość.

– Naprawdę?

Przez chwilę milczą, uśmiechając się serdecznie. George ma wrażenie, że nawet jeśli ta rozmowa z podtekstem nie doprowadziła do obopólnego zrozumienia, to brak zrozumienia, gotowość obstawania przy własnych pozycjach, też jest swego rodzaju zażyłością. Kenny płaci za temperówki i macha ręką w geście zwykłego, koleżeńskiego pożegnania.

– Do zobaczenia.

Odchodzi. George zostaje jeszcze na parę minut w księgarni, żeby nie wyglądało, że poszedł za tamtym.

Jeżeli jedzenie uważać za swego rodzaju sakrament, to pokój profesorski w kantynie trzeba by przyrównać do najbardziej ponurej, pustej sali w świątyni kwakrów. Nie czyni się tu żadnych ustępstw na rzecz rytuału posiłków spożywanych wspólnie, a podawanych apetycznie i w miłej atmosferze. Ten pokój jest po prostu antyrestauracją. Jest za czysty, ze swymi stolikami z plastyku i niklu; za schludny, z brązowymi metalowymi kubełkami na zużyte papierowe serwetki i jednorazowe kubki; wreszcie, w odróżnieniu od rozbrzmiewającej gwarem ludzkich głosów kantyny studenckiej – za spokojny. Spokojem apatycznym, zażenowanym, świadomym siebie. W dodatku pokojowi temu nie przysparza dostojeństwa, a przynajmniej powagi, jak w Oksfordzie czy w Cambridge, sędziwy wiek stołowników. W większości są to ludzie stosunkowo młodzi – George należy do najstarszych.

O Jezu, jakie to przeraźliwie smutne, kiedy na wielu tych twarzach, zwłaszcza młodych, widzi się ponure, przegrane miny. Dlaczego tak właśnie podchodzą do życia? Oczywiście, za mało zarabiają. Oczywiście, nie mają specjalnie dobrych perspektyw, w sensie finansowym. Oczywiście, nie spływa na nich splendor obracania się w towarzystwie rekinów przemysłu. Ale czyż nie znajdują pociechy w otoczeniu studentów, którzy mają jeszcze w sobie trzy czwarte żywotności? Czy nie sprawia im drobnej satysfakcji fakt, że mogą być użyteczni, zamiast przyczyniać się do wytwarzania bezużytecznych dóbr konsumpcyjnych? Czy to mało, że się należy do jednej z niewielu w tym kraju grup zawodowych, która nie jest jeszcze całkiem skorumpowana?

Dla tych ponuraków to wszystko mało. Chcieliby się wyrwać, ale im brak śmiałości. Przygotowali się do tej pracy i teraz muszą przez nią przebrnąć. Zmarnowali czas, kiedy powinni się uczyć, jak oszukiwać, grabić i kłamać. Odcięli się sami od większości – pośredników, przekupniów, zachwalaczy – pracowicie gromadząc całą tę suchą, pogardzaną wiedzę. Pogardzaną, trzeba dodać, przez tego właśnie pośrednika, który nie może się bez niej obyć. Pośrednikowi zależy tylko na produktach, na praktycznych zastosowaniach. Profesorowie to naciągacze, powiada. Jaki pożytek z tego, że się coś wie, jeśli nie można tego przerobić na pieniądze? A ponuraki po cichu zgadzają się z nim, wstydząc się w domowym zaciszu, że nie są dość sprytni i cwani.

George przechodzi do pomieszczenia, w którym wydaje się posiłki. Na ladzie stoją parujące gary, z których kelnerki nakładają gulasz, jarzyny czy zupę. Można też dostać sałatę, placek owocowy albo dziwnie trupio bladą galaretkę, przezroczystą, z jasnozielonymi żyłkami. W jedną z tych galaretek wpatruje się z mimowolną fascynacją, jakby to był jakiś gad za szybą terrarium, Grant Lefanu, młody profesor fizyki, który w wolnych chwilach pisuje wiersze. Grant jest przeciwieństwem ponuraka i nigdy się nie poddaje – George dość go lubi.

Jest niski i chudy, wyróżnia się okularami, wystającymi zębami i lekko obłąkanym uśmiechem, właściwym intelektualistom z zamiłowania. Można go sobie bez trudu wyobrazić jako terrorystę w carskiej Rosji sprzed stu lat. Gdyby się nadarzyła okazja, mógłby być takim typem fanatycznego bohatera, który idzie za daną ideą bez chwili wahania, uważając za oczywiste, że trzeba ją jak najszybciej wcielić w czyn. Rozmowa bladych studentów z rozpłomienionymi oczyma, samych anarchistów i utopistów, prowadzona długo po północy przy herbacie i papierosach w zamkniętym pokoju, następnego ranka przekłada się, z dosłownością świadczącą o absolutnej niewinności, na rzucanie bomb, wykrzykiwanie wzniosłych haseł, a następnie wleczenie młodego marzyciela, z uśmiechem nieschodzącym mu z ust, do lochu i przed pluton egzekucyjny. Na twarzy Granta często ujrzeć można taki uśmiech – niemal zażenowania, że manifestuje swe przekonania tak jawnie. Trochę przypomina nieśmiałego jąkałę, który nagle w przypływie rozpaczy wypowie się bardzo głośno i wyraźnie.

W samej rzeczy Grant niedawno dał przynajmniej jeden dowód odwagi cywilnej. Wystąpił mianowicie przed sądem jako świadek obrony w sprawie pewnego księgarza, którego przyłapano na rozpowszechnianiu jednej z wielkich klasycznych książek erotycznych z lat dwudziestych; książka ta, dawniej dostępna tylko w krajach romańskich, obecnie, serią precedensowych procesów, walczy o to, by mogli ją pożerać młodzi Amerykanie. (George nie jest zupełnie pewien, czy to właśnie tę książkę czytał był w młodości, podczas pobytu w Paryżu. W każdym razie pamięta, że rzucił tę, lub jej podobną, do kosza na śmieci, w samym środku sceny jakiegoś wielkiego rżnięcia. Nie dlatego, żeby był mało tolerancyjny. Niechaj piszą o związkach heteroseksualnych ci, co muszą i niechaj ich czytają ci, co chcą. Tym niemniej jest to śmiertelnie nudne i, mówiąc szczerze, dość obrzydliwe. Czemu ci nowocześni pisarze nie trzymają się starych, prostych i zdrowych tematów, takich, jak na przykład chłopcy?).

Odwaga cywilna Granta Lefanu polegała na obronie książki z narażeniem własnej kariery akademickiej. Uprzednio bowiem pewien bardzo ważny członek senatu ich uczelni wystąpił jako świadek oskarżenia i zapewnił sąd, że książka jest nieprzyzwoita, niezdrowa i niebezpieczna. Kiedy Grant stanął za balaskami w krzyżowym ogniu pytań prokuratora, pozwolił sobie – z tym nieśmiałym uśmiechem – mieć odmienne zdanie niż jego kolega. Następnie, po wstępnym kluczeniu i trzykrotnych upomnieniach, by mówił głośniej, złożył oświadczenie, sprowadzające się do tego, że to nie książka, ale jej przeciwnicy zasługują na te trzy przymiotniki. Co gorsza, jeden z miejscowych liberalizujących felietonistów ochoczo rzecz całą opisał, przedstawiając członka senatu uczelni jako starą reakcyjną świnię, a Granta jako młodego, błyskotliwego obrońcę swobód obywatelskich, przez co zeznanie świadka przekształciło się w osobliwą zniewagę. Teraz stoi pod znakiem zapytania, czy Grant pod koniec roku uzyska przedłużenie kontraktu.

Grant uważa George'a za wspólnika w wywrotowej robocie, na który to komplement George w zasadzie nie zasługuje, ponieważ będąc w senacie, korzystając z opinii angielskiego ekscentryka i wreszcie posiadając skromne środki własne, może sobie pozwolić na to, by mówić na terenie uniwersytetu, co tylko zechce. Ale biedny Grant nie ma własnych środków, ma natomiast żonę i troje niebacznie spłodzonych dzieci.

– Co nowego? – pyta George, mając na myśli: „Jakie są najnowsze posunięcia przeciwnika?".

– Słyszałeś o tych wykładach dla wydziału policyjnego? Dzisiaj facet, który specjalnie przyleciał z Waszyngtonu, będzie im objaśniał dwadzieścia sposobów na wykrycie komucha.

– Żartujesz?!

– Pójdziemy? Możemy mu zadać parę kłopotliwych pytań.

– O której?

– Pół do piątej.

– Nie mogę. Za godzinę muszę być w centrum.

– Szkoda.

– Szkoda – zgadza się George z ulgą. Zresztą nie jest do końca przekonany, czy śmiałość tamtego była do końca szczera. Przy paru innych okazjach Grant tym samym na wpół poważnym tonem proponował mu, żeby poszli zakłócać spotkanie John Birch Society, żeby u Wattsa wypalili trawkę z najlepszym nieznanym poetą Ameryki, żeby spotkali jakąś szyszkę z ruchu Czarnych Muzułmanów. George nie podejrzewa, żeby Grant chciał go w takich razach poddać próbie. Niewątpliwie Grant od czasu do czasu robi sam coś takiego i po prostu nie przychodzi mu do głowy, że George mógłby się bać. Raczej uważa, że George wykręca się z tych imprez z obawy, że go znudzą.

Kiedy posuwają się wzdłuż lady, wziąwszy w końcu tylko kawę i sałatę – George dba o linię, a Grant ma apetyt równie szczupły jak on sam – Grant opowiada o pewnym swoim znajomym, który rozmawiał z ekspertami pracującymi w wielkiej firmie produkującej komputery. Zdaniem tych ekspertów nie ma większego znaczenia, czy będzie wojna, ponieważ i tak przeżyje dość ludzi, żeby państwo mogło dalej funkcjonować. Oczywiście przeżyją przede wszystkim ludzie bogaci i wpływowi, ponieważ będą dysponować lepszymi schronami niż te nieszczelne śmiertelne pułapki, jakie naciągacze oferują za pół ceny. Ten, kto chce sobie zbudować porządny schron, powinien – zdaniem ekspertów – zwrócić się do trzech różnych wykonawców po to, żeby nikt nie wiedział, co buduje. Jeśli rozejdzie się wieść o tym, że masz lepszy schron, tłum rzuci się do ciebie przy pierwszym alarmie. Z tego samego powodu należy być realistą i zaopatrzyć się w pistolet maszynowy. Nie czas na fałszywy sentymentalizm.

George śmieje się odpowiednio sardonicznie, ponieważ Grant tego się właśnie po nim spodziewa. Ale ten wisielczy humor wcale go nie bawi. To, co było najgorsze we wszystkich poprzednich kryzysach – lat dwudziestych, lat trzydziestych, wojny (a każdy z nich pozostawił na George'u ślad, niczym choroba) – to lęk przed unicestwieniem. Teraz stoimy wobec jeszcze okropniejszego lęku, a mianowicie lęku przed przetrwaniem. Przed przetrwaniem i życiem w epoce gruzów, w której będzie rzeczą zupełnie naturalną, że pan Strunk rozstrzeliwuje z pistoletu Granta, jego żonę i trójkę dzieci tylko dlatego, że Grant nie pomyślał o zgromadzeniu stosownych zapasów żywności, wskutek czego całej rodzinie grozi głód, mogą więc stać się niebezpieczni dla społeczeństwa, a nie ma się co bawić w sentymentalizmy.

– Tam siedzi Cynthia – mówi Grant, kiedy wracają do jadalni. – Przysiądziemy się do niej?

– A musimy?

– Myślę, że tak – chichocze nerwowo Grant. – Ona nas zauważyła.

Rzeczywiście, Cynthia Leach już do nich macha. Jest to ładna młoda dziewczyna z Nowego Jorku, absolwentka Sarah Lawrence College, córka bogatych rodziców. Bodajże trochę im na przekór wyszła ostatnio za mąż za Leacha, który tutaj wykłada historię. Ale małżeństwo funkcjonuje całkiem dobrze. Andy, szczupły i blady, nie jest wcale słabeuszem; jego ciemne oczy błyszczą erotycznie, ma też tę pozbawioną agresywności gibkość właściwą ludziom, którzy wykonują dużo ćwiczeń łóżkowych. Socjologicznie rzecz biorąc, znajduje się w obcym sobie środowisku, najwyraźniej jednak z przyjemnością podejmuje dodatkowe wysiłki, żeby nie odstawać od poziomu Cynthii. Wydają przyjęcia, na które wszyscy przychodzą ze względu na świetne jedzenie i picie (dzięki pieniądzom Cynthii), także dlatego, że Andy jest powszechnie lubiany, no i Cynthia w końcu też nie należy do najgorszych. Kłopot jedynie w tym, że próbuje odgrywać arystokratkę ze Wschodniego Wybrzeża, w celach dobroczynnych odwiedzającą slumsy; stara się być wielką panią, a wychodzą jej tylko wielkopańskie fochy.

– Andy wystawił mnie do wiatru – oznajmia im Cynthia. – Porozmawiajcie ze mną.

A potem, kiedy sadowią się przy jej stoliku, zwraca się do Granta:

– Twoja żona nigdy mi nie wybaczy.

– Doprawdy? – śmieje się Grant z niezwykłą jak na niego werwą.

– Jeszcze ci o tym nie powiedziała?

– Ani słowa.

– Naprawdę? – Cynthia jest niepocieszona. Ale zaraz się rozchmurza. – Jestem pewna, że była na mnie wściekła! Powiedziałam jej, że ludzie tutaj strasznie ubierają dzieci.

– Jestem pewien, że przyznała ci rację. Sama to ciągle mówi.

– Pozbawia się je w ten sposób dzieciństwa – ciągnie Cynthia, całkiem go ignorując. – Stają się od małego konsumentami! Wyobraźcie sobie, te okropne filigranowe istotki z wymalowanymi ustami! Byłam w zeszłym miesiącu w Meksyku. Jakbym zaczerpnęła świeżego powietrza. Po prostu brak mi słów! Tamtejsze dzieci są takie naturalne! Nie boją się. Nie są ukierunkowane na dorosłych. Rozwijają się swobodnie.

– Pozostaje tylko kwestia... – zaczyna Grant. Najwyraźniej ma zamiar posprzeczać się z Cynthią. Dlatego mamrocze coś pod nosem, ledwie go słychać. Cynthia udaje, że nie słyszy.

– A potem pewnego wieczoru przekroczyliśmy granicę. Tego się nie da zapomnieć! Zadawałam sobie pytanie, czy to ja jestem szalona, czy ci wszyscy ludzie. Wszyscy biegali, zamiast iść, jak na starych niemych filmach. Albo gospodyni w zajeździe – dopiero teraz uderzyło mnie, jakie to przewrotne słowo. Jak ona się do nas uśmiechała! I te okropne karty dań, w których nie ma nic jadalnego! I ci zwariowani pomocnicy kierowcy, synowie szamana, którzy nie podadzą ci nic więcej nad szklankę wody i nie będą chcieli z tobą rozmawiać! To po prostu niewiarygodne. A potem nocowaliśmy w jednym z tych upiornych nowych moteli. Miałam wrażenie, że całe wyposażenie przywieziono tam skądinąd, z jakiejś fabryki i zamontowano dosłownie na chwilę przed naszym przybyciem. Do niczego nie pasowało! Zwłaszcza po tych wszystkich cudownych starych hotelach w Meksyku, z których każdy jest prawdziwym miejscem, ten motel był czymś skrajnie nierzeczywistym...

I znów Grant próbuje jakby zaprotestować. Ale tym razem mamrocze jeszcze ciszej. Nawet George go nie

rozumie. George pije duży haust kawy, czuje, jak napój kopie go w pusty żołądek i nagle ogarnia go świetny nastrój.

– Doprawdy, Cynthio droga! – słyszy słowa, które mu się wyrwały. – Jak możesz pleść tak niewiarygodne bzdury?

Zaskoczony Grant chichocze. Cynthia patrzy zdziwiona, ale i zadowolona. Należy do tchórzy lubiących, jak im się ktoś sprzeciwia – łagodzi to ostrze ich agresji.

– Czyś ty zwariowała? – George ma wrażenie, że pędzi autostradą, coraz bardziej gładki, rozkosznie lekki. – Na Boga, mówisz, jak jakiś smętny francuski intelektualista, który po raz pierwszy w życiu wylądował w Nowym Jorku! Oni lubią takie gadki. ,,Nierzeczywiste"! Amerykańskie motele mają być „nierzeczywiste"! Moje drogie dziewczę – i ty wiesz, i ja wiem, że nasze amerykańskie motele są tak projektowane, żeby były nierzeczywiste, jeśli już musisz się posługiwać tym idiotycznym żargonem, a to z tego prostego powodu, że pokój w amerykańskim motelu nie jest jakimś sobie pokojem w jakimś sobie hotelu, tylko jest tym właśnie pokojem, koniec, kropka. Jest tylko jeden: Pokój przez duże P. I to jest symbol – trójwymiarowa reklama, jeśli wolisz – naszego stylu życia. A czym jest nasz styl życia? Schematem konstrukcyjnym, który wymaga określonych miar, określonych narzędzi i posłużenia się określonymi materiałami, ni mniej, ni więcej. O całą resztę trzeba zadbać samemu. Ale spróbuj tylko wytłumaczyć to Europejczykom! Umarliby z przerażenia. Istota rzeczy tkwi w tym, że nasz styl życia jest dla nich o wiele za trudny. Myśmy sprowadzili rzeczy z planu materialnego do zwykłego symbolicznego komfortu. A dlaczego? Dlatego że to jest właśnie zasadniczy pierwszy krok. Póki nie zdefiniuje się rzeczy z planu materialnego i nie zepchnie na właściwe im miejsce, póty umysł nie będzie naprawdę wolny. Wydawałoby się, że to oczywiste. Najgłupszy Amerykanin rozumie to intuicyjnie. Ale Europejczycy mówią, że jesteśmy nieludzcy – a jeszcze chętniej, że niedojrzali, co brzmi znacznie bardziej obraźliwie – ponieważ odrzucamy ich świat różnic indywidualnych, romantycznej nieporadności i rzeczy-dla-samej-rzeczy. Cały ten zamierzchły kult katedr, pierwszych wydań, paryskich modelek i dobrych roczników wina. I oczywiście ani na chwilę nie ustają w próbach podporządkowania nas swojej obrzydliwej propagandzie kultu. Jeśli im się kiedyś powiedzie, będziemy skończeni. Tego rodzaju dywersją powinien się zajmować komitet do badania działalności antyamerykańskiej. Europejczycy nas nienawidzą, ponieważ wycofaliśmy się z czynnego życia w świat naszych reklam, jak pustelnicy, co zamykają się w jaskini, żeby kontemplować. Śpimy w symbolicznych sypialniach, spożywamy symboliczne posiłki, korzystamy z symbolicznej rozrywki – i to ich przeraża, to budzi w nich wściekłość i pogardę, ponieważ oni nie są w stanie tego pojąć. Wciąż pokrzykują: „Ci ludzie są szurnięci!". Musieli to sobie wmówić, ponieważ alternatywą byłoby załamanie się i przyznanie, że Amerykanie potrafią żyć w ten sposób dlatego, że to oni właśnie są cywilizacją znacznie bardziej rozwiniętą – o pięćset, może nawet tysiąc lat bardziej od Europy, i zresztą od wszystkich innych kontynentów. W gruncie rzeczy to my jesteśmy tworami ducha. Całe nasze życie odbywa się w świecie idei. Dlatego świetnie się czujemy w takich symbolach, jak pokój w amerykańskim motelu. Natomiast Europejczyk lęka się symbolów, ponieważ jest małym, podłym, materialistą...

Parę chwil przed końcem tej szalonej tyrady George ujrzał, jakby z wielkiej wysokości, że Andy Leach wkracza do kantyny. Było to zaiste szczęśliwe rozwiązanie, ponieważ czuł, że powoli braknie mu energii w silnikach, że traci rozmach. Teraz więc, z wprawą długoletniego pilota, wykonuje pętlę przed nieskazitelnym lądowaniem. Tym piękniejszym, że wydaje się, iż przestał mówić z czystej grzeczności, ze względu na Andy'ego, który podchodzi do ich stolika.

– Czy wiele straciłem? – pyta z uśmiechem Andy.

Akrobata w cyrku nie dysponuje kurtyną, która by opadła, ukryła go i w ten sposób zachowała nietknięty czar jego występu. Uniesiony na trapezie pod błyszczące wiązania namiotu jarzył się i pulsował niczym gwiazda. Ale teraz, na ziemi, przygaszony, pozbawiony świateł reflektorów, a mimo to widoczny dla każdego, kto zechce na niego patrzeć – a wszyscy patrzą na clownów – przeciska się szybko między rzędami ku wyjściu. Nikt mu nie klaszcze. Mało kto się za nim obejrzy.

George czuje, że wraz z poczuciem anonimowości ogarnia go zmęczenie, które nie jest wcale nieprzyjemne. Przypływ żywotności szybko opada, a on opada wraz z nim, całkiem z tego zadowolony. To też rodzaj odpoczynku. Nagle jest znacznie, znacznie starszy. W drodze na parking porusza się inaczej, z mniejszą elastycznością, sztywno machając rękoma. Zwalnia. Raz po raz wręcz się potyka. Głowę ma pochyloną. Usta mu oklapły, mięśnie brody obwisły. Na twarzy pojawił się marzycielski, senny wyraz. George mruczy coś pod nosem, jak pszczoły latające wokół ula. Od czasu do czasu, idąc, puszcza głośnego, przeciągłego bąka.

Szpital stoi wysoki na letargicznym wzgórzu, wyrasta z podmokłych łąk i kwitnących zarośli, dobrze widoczny z autostrady. Gigantyczny znak ostrzegawczy dla przejeżdżających kierowców – koniec drogi, ludzie – ma jednak w sobie coś miłego. Stoi wystawiony na wszystkie morskie wiatry, z wielu okien na pewno można dostrzec ocean i wzgórza Palos Verdes, a nawet, w pogodny zimowy dzień, wyspę Catalinę.

Pielęgniarki w recepcji też są miłe. Nie zadają zbyt wielu pytań. Jeśli znasz numer pokoju, do którego się wybierasz, nie musisz ich nawet pytać o pozwolenie – idziesz prosto do celu.

George własnoręcznie uruchamia windę. Ta jednak na drugim piętrze staje, a kolorowa pielęgniarka wwozi do niej leżącą na noszach pacjentkę. Na chirurgię, wyjaśnia George'owi, więc muszą zjechać na parter, gdzie mieszczą się sale operacyjne. George w obliczu wyższej konieczności proponuje, że wysiądzie, ale młoda pielęgniarka (która ma bardzo pociągające muskularne ręce) mówi, że nie trzeba, więc stoi, jak widz na obcym pogrzebie, spoglądając na chorą. Sprawia wrażenie w pełni świadomej, ale byłoby swego rodzaju bluźnierstwem przemówić do niej, tej wybranej, rytualnie oczyszczonej ofiary. Pacjentka chyba zdaje sobie z tego sprawę i wyraża zgodę – zgadza się dla świętego spokoju. Jej siwe włosy wyglądają prześlicznie, z pewnością niedawno miała robioną trwałą.

Oto brama, mówi do siebie George.

Czy i ja będę musiał przez nią przejść?

Ach, jak biedne ciało wzdraga się każdym nerwem na widok, zapach, kształt tego miejsca! Jak miota się, cofa, próbuje uciec. Sam fakt, że się tu znalazło – oszołomione lekarstwami, pokłute igłami, pocięte skalpelami – cóż to za okropna zniewaga dla tego ciała! Nawet gdyby im się udało je uleczyć i zwolnić stąd, ono tego przenigdy nie zapomni. Nic już nie będzie jak dawniej. Straciło całą wiarę w siebie.

Jim lubił stękać, uskarżać się, a nawet cholerować z powodu bólu głowy, skaleczonego palca, hemoroidów. Ale za to miał szczęście na koniec – wtedy, kiedy jest najbardziej potrzebne. Ciężarówka uderzyła w jego samochód tak celnie, że nawet nie poczuł. I nigdy go nie przywieźli do takiego miejsca jak tutaj. Zmiażdżone szczątki jego osoby nie nadawały się do ich rytuałów.

Pokój Doris znajduje się na najwyższym piętrze. Korytarz jest w tej chwili pusty, drzwi stoją otworem, w środku parawan zasłania łóżko. George zerka znad parawanu, nim wejdzie. Doris leży z twarzą do okna.

George już się trochę odzwyczaił od jej wyglądu. Nie budzi w nim w tej chwili wstrętu, ponieważ George zatracił poczucie transformacji. Doris przestała być dla niego jakimś mutantem. Zupełnie inną istotą jest ten żółtawy pomarszczony manekin z pałąkami rąk i nóg, zwiędłym ciałem i pustym brzuchem, toporny zarys pod prześcieradłem. Cóż to ma wspólnego z tamtym dużym, bezczelnym, zwierzęcym dziewczyniskiem? Z tym nagim ciałem, które się rozłożyło, bezwstydne w swej chuci, pod równie nagim ciałem Jima? Wielki wsysający srom, szczwane, bezwzględne w swej zachłanności ciało, w pełni rozkwitu, blasku i bezczelnej prężności domagające się, żeby George ustąpił, upokorzył się i poddał władzy kobiety, schował w upokorzeniu swą wynaturzoną głowę. Ja jestem Doris. Ja jestem Kobietą. Jestem: Suką-Matką-Naturą. Kościół, Państwo i Prawo istnieją po to, żeby mnie wspierać. Domagam się swoich przyrodzonych praw. Domagam się Jima.

George niekiedy zadawał sobie pytanie: Czy kiedyś, nawet w tamtych dniach, życzyłem jej, żeby ją to spotkało?

Odpowiedź brzmi: Nie. Nie dlatego, żeby George nie był zdolny do tak daleko posuniętej wrogości, ale dlatego, że Doris była wówczas czymś nieskończenie wyższym od Doris, była Kobietą-Wrogiem, który pragnie zagarnąć Jima na własność. Cóż da zniszczenie Doris albo dziesięciu tysięcy jej podobnych, póki Kobieta będzie tryumfowała. Kobietę można pokonać tylko przez ustępstwo, przez to, że pozwoli się Jimowi pojechać z nią do Meksyku, że się mu każe zaspokoić ciekawość i połechtaną próżność, i żądzę (głównie zresztą próżność) w nadziei, że wróci (jak wrócił) i powie: „Ona jest odrażająca. Nigdy więcej".

A czy nie wydałaby ci się podwójnie odrażająca, Jimie, gdybyś ją mógł dziś zobaczyć? Czy nie poczułbyś dreszczu zgrozy na myśl o tym, że nawet wtedy jej ciało, które pieściłeś, całowałeś zachłannie, w które wchodziłeś w podnieceniu, miało już w sobie ziarna tej zgnilizny? Umiałeś delikatnie przemywać rany kotom i nie przeszkadzał ci smród starych schorowanych psów, ale mimowolną zgrozą napawała cię ludzka choroba oraz widok kalek. Ja coś o tym wiem, Jimie. Jestem o tym przekonany. Na pewno z całą stanowczością odmówiłbyś złożenia jej tutaj wizyty. Nie byłbyś się w stanie do tego zmusić.

George okrąża parawan i wchodzi do pokoju, robiąc dokładnie tyle hałasu, ile potrzeba. Doris odwraca głowę i patrzy na niego, nie okazując zdziwienia. Być może zaciera się jej już granica między rzeczywistością a halucynacją. Postaci zjawiają się i znikają. Jeśli któraś z nich ukłuje cię igłą, możesz być pewna, że to rzeczywiście pielęgniarka. George może być George'em, ale też może nim nie być. Dla ułatwienia potraktuje go tak, jakby był George'em. Czemu nie? Tak czy siak, jakie to ma znaczenie?

– Cześć – mówi. Jej oczy błyszczą błękitem w pożółkłej chorej twarzy.

– Cześć, Doris.

Od dłuższego czasu George przestał jej przynosić kwiaty albo inne upominki. W tej chwili nie ma już nic szczególnego, co mógłby tu sprowadzić z zewnątrz – nie wyłączając jego samego. Wszystko, co ma dla niej jakieś znaczenie, znajduje się obecnie w tym pokoju, gdzie tak bardzo absorbuje ją trud umierania. Tego głównego zajęcia nie można wszakże określić jako egoistyczne – nie zamyka się przed George'em ani przed nikim, kto by w nim chciał wziąć udział. Przedmiotem głównego zajęcia jest śmierć, a w tym wszyscy możemy brać udział, w dowolnej chwili, w dowolnym wieku, zdrowi i chorzy.

George siada obok Doris i bierze ją za rękę. Gdyby to zrobił jeszcze przed dwoma miesiącami, gest ten byłby nieprzyjemnie fałszywy. (Jedno z jego najboleśniej wstydliwych wspomnień pochodzi z czasu, kiedy ją pocałował w policzek – czy to z agresji, czy z masochizmu? Ach, do diabła z takimi słowami! – zaraz po tym, jak nakrył ją z Jimem w łóżku. Kiedy George przysunął się, żeby ją pocałować, w oczach Jima pojawiło się zaskoczenie i przestrach, jakby się obawiał, że George ukąsi ją jak wąż). Ale teraz nie ma w tym nic fałszywego, nie jest to nawet akt współczucia. Ten gest jest potrzebny – George odkrył to przy poprzednich wizytach – żeby przywrócić choćby cząstkowy kontakt. Ponadto, trzymając ją za rękę, czuje się mniej zażenowany jej chorobą, ten gest znaczy bowiem: Idziemy tą samą drogą, wkrótce podążę za tobą. Poza tym nie musi dzięki temu gestowi zadawać tych okropnych pytań, jakie stawia się chorym. Jak się masz? jak leci? jak się czujesz?

Doris uśmiecha się słabo. Czy to ma oznaczać, że cieszy się z jego wizyty?

Nie. Najwyraźniej uśmiecha się z wesołości. Cicho, ale wyraźnie mówi:

– Narobiłam wczoraj sporo hałasu.

George też się uśmiecha, czekając na puentę.

– Czy to było wczoraj? – Mówi tym samym tonem, ale tym razem zwraca się do siebie. Jej oczy przestały go widzieć; patrzą oszołomione i nieco przestraszone. Czas stał się chyba dla niej dziwnym ciągiem lustrzanych zjaw, a zjawy mają to do siebie, że w każdej chwili mogą się zmienić z zabawnych w straszne.

Ale po chwili jej oczy znów są świadome jego obecności: oszołomienie minęło.

– Wrzeszczałam. Było słychać na całym korytarzu. Musieli sprowadzić doktora.

Doris się śmieje. A więc to ma być puenta.

– To były plecy? – pyta George. Troska o usunięcie ze swego głosu tonu współczucia sprawia, że mówi prostymi zdaniami, jak człowiek, który pragnie ukryć mało wytworny, lokalny akcent. Ale Doris nie zważa na jego pytanie. Znów z zafrasowaną miną odpłynęła w sobie tylko znanym kierunku. Nagle pyta:

– Która godzina?

– Dochodzi trzecia.

Zapada długie milczenie. George odczuwa usilną potrzebę, żeby coś powiedzieć – cokolwiek.

– Byłem onegdaj na molo. Po raz pierwszy od bardzo dawna. Wiesz, co się okazało? Rozwalili stary tor do jazdy na wrotkach. Czy to nie okropne? Zachowują się, jakby nie mogli znieść, że coś jest takie jak dawniej. Pamiętasz budkę, w której kobieta odgadywała charakter człowieka z charakteru jego pisma? Też zlikwidowana...

Przerywa, skonsternowany.

Czy to możliwe, żeby pamięć płatała tak okrutne figle? Okazuje się, że możliwe. Przecież wyciągnął z niej molo na oślep, jak ciągnie się kartę z talii magika – i proszę, okazało się, że to wymuszona karta! Jim i George jeździli właśnie tam na wrotkach, kiedy poznali Doris. (Była z chłopcem imieniem Norman, którego szybko spławiła). A potem wszyscy troje poszli sprawdzić sobie charakter. Tamta kobieta powiedziała Jimowi, że tkwi w nim ukryty talent muzyczny, a Doris, że posiada wielką sztukę wydobywania z ludzi tego, co w nich najlepsze...

Czy ona to pamięta? Na pewno, musi pamiętać! George patrzy na nią z niepokojem. Doris leży, wpatrując się w sufit, coraz mocniej zatroskana.

– Mówiłeś, że która godzina?

– Dochodzi trzecia. Za cztery.

– Wyjrzyj na korytarz, proszę. Zobacz, czy nikt się tam nie kręci.

George wstaje, podchodzi do drzwi i wygląda. Ale zanim jeszcze dobrze wystawił głowę, ona już pyta natarczywie: – No i co?

– Nie ma nikogo.

– Gdzie się podziewa ta pieprzona pielęgniarka? – Wyrywa jej się to pośpiesznie, z jawną desperacją.

– Mam jej poszukać?

– Wie, że o trzeciej mam mieć zastrzyk. Doktor jej powiedział. Gówno ją to obchodzi.

– Pójdę jej poszukać.

– Ta suka nie przyjdzie, dopóki jej nie przypili.

– Na pewno uda mi się ją znaleźć.

– Nie! Zostań.

– Dobrze.

– Usiądź koło mnie.

– Jasne.

Siada. Wie, że ona pragnie jego ręki. Daje ją. Doris chwyta dłoń ze zdumiewającą siłą.

– George...

– Tak?

– Zostaniesz, póki ona nie przyjdzie?

– Oczywiście, że zostanę.

Jej uścisk się nasila. Nie ma w nim uczucia ani jakiegoś przekazu. Doris nie ściska bliźniego. Ręka George'a to dla niej tylko coś, czego się można uchwycić. George nie śmie zapytać o ból. Boi się, że wywoła jakiegoś obleśnego potwora, coś widocznego, namacalnego, tu i teraz, pomiędzy nimi, w tym pokoju.

Ale zarazem jest trochę ciekaw. Poprzednim razem pielęgniarka mu powiedziała, że u Doris był ksiądz. (Wychowano ją w katolicyzmie). I rzeczywiście – na stoliku przy łóżku leży mała broszurka, kolorowa i śliczna, jak na Boże Narodzenie: Stacje Męki Pańskiej... Ach, przecież kiedy droga zwęża się do szerokości łóżka, kiedy nie ma się przed sobą nic znajomego, czyż można wzgardzić jakimkolwiek przewodnikiem? Może Doris nauczyła się już czegoś o drodze, która ją czeka? Zarazem jednak, założywszy nawet, że się nauczyła i że George zdobyłby się na to, by ją spytać, nie umiałaby mu przekazać, co wie. Albowiem można to wyrazić jedynie w języku miejsca, ku któremu ona zmierza. A ten język – choć niektórzy klepią nim bezmyślnie – nie ma realnego znaczenia w naszym świecie. W naszych ustach staje się zaledwie kupą słów.

Oto pielęgniarka, szeroko uśmiechnięta, pojawia się w drzwiach.

– Jestem dziś punktualna, widzi pani?

Wnosi tacę z gumową opaską i ampułkami.

– To ja już pójdę – mówi George, wstając z miejsca.

– Ależ nie musi pan odchodzić – twierdzi pielęgniarka. – Gdyby pan tylko wyszedł na chwilę na korytarz. To nie potrwa długo.

– I tak muszę już iść – odpowiada George z poczuciem winy, właściwym każdemu, kto opuszcza pokój chorego. Nie znaczy to wcale, że Doris napawa go poczuciem winy. Wydaje się zresztą, że przestał ją obchodzić. Oczy ma utkwione w igle strzykawki, którą trzyma pielęgniarka.

– Była niegrzeczna – mówi pielęgniarka. – Nie dała się namówić na zjedzenie obiadu.

– Do zobaczenia, Doris. Wpadnę za parę dni.

– Do widzenia, George.

Doris nawet na niego nie spojrzy, a jej głos wyraża absolutną obojętność. George opuszcza jej świat, a tym samym przestaje istnieć. Bierze jej rękę i ściska. Ona nie odpowiada na uścisk. Wpatrzona jest w zbliżającą się ku niej błyszczącą igłę.

Czy to miało być pożegnanie? To możliwe, to nieuniknione. Wychodząc z pokoju, George patrzy na nią znad parawanu, próbując pochwycić i utrwalić jakiś obraz w pamięci, żeby sobie uświadomić tę okoliczność, przynajmniej potencjalną: ostatni raz, kiedy widziałem ją żywą.

Nic. To bez sensu. Nic nie czuje.

Kiedy przed chwilą ściskał jej rękę, wiedział jedno: że ostatnie ślady Doris, która próbowała odebrać mu Jima, znikły z tego pomarszczonego manekina, a wraz z nimi resztki jego nienawiści. Dopóki trwała choć jedna drogocenna kropla nienawiści, George odnajdywał w Doris coś z Jima. Bo Jima też nienawidził, prawie tak samo jak jej, kiedy byli razem w Meksyku. To było ogniwo łączące go z Doris. Teraz pękło. A wraz z nim utracił na zawsze kolejną cząstkę Jima.

Kiedy George jedzie bulwarem do miasta, wielkie niezgrabne dekoracje świąteczne – renifer z dzwoneczkami przewieszony nad ulicą na kablach przymocowanych do metalowych choinek – kołyszą się w podmuchach lodowatego wiatru. Ale to tylko świąteczne reklamy, ufundowane przez właścicieli okolicznych sklepów. Klienci mrowią się w sklepach i na chodnikach z lekko oszołomionymi twarzami, z oczami, w których, jak w posrebrzanych guzikach, odbija się cyniczny blichtr okresu świątecznego. Niewiele więcej jak miesiąc temu, zanim Chruszczow zgodził się wycofać rakiety z Kuby, tłoczyli się w supermarketach, opróżniając półki z fasolą, ryżem i innymi artykułami spożywczymi, z których większość absolutnie nie nadaje się do gotowania w schronach przeciwlotniczych, ponieważ nie można ich przyrządzić bez dużych ilości wody. Cóż, przynajmniej tym razem tłumy oszczędzono. Czy umieją się z tego cieszyć? Są na to za głupi, biedacy – nie zdają sobie sprawy, co im groziło. Niewątpliwie z powodu tamtych panicznych zakupów mają mniej pieniędzy na prezenty. Ale jeszcze dość im zostało. Sklepikarze przewidują całkiem dobre obroty przedświąteczne. Każdy może sobie pozwolić na jakiś, choćby skromny, wydatek, no może z wyjątkiem paru młodych naciągaczy (których doświadczone oko George'a od razu wyławia z tłumu) – ci stoją ponurzy na rogach ulic albo zaglądają do sklepów przez szybę, starając się dojrzeć jak najwięcej.

George jest w tej chwili jak najdalszy od wyśmiewania się z tych swoich bliźnich. Mogą być toporni, interesowni, nudni i gminni, ale on jest dumny, cieszy się, nieprzyzwoicie rozkoszuje tym, że może wstać i wmieszać się w ich szeregi – w szeregi tej cudownej mniejszości, której miano – Żywi. Ci ludzie na chodnikach nie znają swojego szczęścia, ale George zna swoje – przynajmniej na razie – ponieważ właśnie otarł się o lodowatą obecność Większości, do której wkrótce dołączy Doris.

Żyję – powtarza sobie. – Żyję! A energia życiowa przepływa przez niego gorącą falą, i rozkosz, i ochota. Jak to dobrze być w ciele – choćby w tym starym zdezelowanym ścierwie – które ma jeszcze gorącą krew, żywe nasienie, bogaty szpik i zdrową tkankę. Ponurzy młodzieńcy na rogach ulic widzą w nim z pewnością zgrzybialca, w najlepszym razie potencjalny zarobek. Mimo to George odczuwa pokrewieństwo z siłą ich młodych rąk, ramion, barków. Za parę dolców każdy z nich wsiadłby do jego samochodu, pojechał z nim do domu, zdjął grubą skórzaną kurtkę, obcisłe lewisy, koszulę oraz kowbojskie buty i wziął udział – nagi, ponury młody sportowiec – w walce zapaśniczej ku jego rozkoszy. Ale George nie pragnie sprzedajnych, niechętnych ciał tych chłopców. Pragnie się rozkoszować swoim własnym ciałem – tryumfującym starym ciałem człowieka, który przetrwał. Ciałem, które przeżyło Jima i wkrótce przeżyje Doris.

Postanawia zatrzymać się w drodze do domu przy sali gimnastycznej – choć to nie jego dzień ćwiczeń.

W szatni George rozbiera się, wkłada wełniane skarpetki, suspensory i szorty. Czy ma nałożyć koszulkę? Przegląda się w wysokim lustrze. Nie najgorzej. Fałdy ciała nad spodenkami nie rzucają się dziś tak bardzo w oczy. Nogi wyglądają całkiem nieźle. Mięśnie klatki piersiowej, jeśli je dobrze napiąć – nie zwisają. Poza tym, ponieważ nie ma na nosie okularów, nie dostrzega zmarszczek w zgięciu łokci, nad rzepkami i wokół wciągniętego brzucha. Szyja jest obwisła i nie do przyjęcia w żadnych okolicznościach, w żadnym świetle, wyglądałaby okropnie, nawet gdyby na wpół oślepł. Zupełnie ją zaniedbał, jak pozycję na wojnie, której nie da się obronić.

Przy tym wszystkim wygląda – czyż mógłby tego nie wiedzieć? – lepiej od swoich rówieśników z sali gimnastycznej. Nie dlatego, żeby oni mieli być w aż tak opłakanym stanie, przeciwnie, bywają tu okazy zdrowia. Kłopot w tym, że fatalistycznie przyjmują wiek średni, że sromotnie poddają się roli dziadka, zbliżającej się emeryturze i golfowi. George różni się od nich tym, że na swój sposób, który trudno zdefiniować, ale który rzuca się od razu w oczy na widok jego nagiego ciała – nie poddał się. Nadal walczy, gdy oni przestali. Może nie tkwi w tym żadna tajemnica, tylko próżność, która nadaje mu wygląd przekwitłego chłopca? Tak czy siak, pomimo zmarszczek, wątłego ciała, siwiejących włosów, surowej i dumnej żwawości, od czasu do czasu przebija w nim obecność kogoś innego – o gładkiej twarzy, chłopięcego, ładnego. Ta osobliwa kombinacja jest jeszcze starsza niż wiek średni, no, ale trudno – jest.

Patrząc ponuro w lustro, George mówi do siebie z mieszaniną niesmaku i humoru: Ty, stary durniu, kogo ty próbujesz uwieść? I wkłada koszulkę.

Na sali są tylko trzy osoby. Jeszcze za wcześnie na urzędników. Potężny Buck – typ byłego piłkarza, po pięćdziesiątce – rozmawia z Rickiem, który żywi ambicje telewizyjne. Buck jest niemal nagi, jego okrągły brzuch sterczy nad majteczkami w stylu bikini, spychając je aż do linii owłosienia. Zdaje się w ogóle nie mieć wstydu. Natomiast Rick, właściciel doskonale umięśnionego ciała, ma na sobie dres z szarej wełny, zasłaniający je dokładnie od szyi po przeguby rąk i kostki nóg.

– Cześć, George – mówią obaj, kiwając mu głową, a George ma wrażenie, że to najszczersze i najprzyjaźniejsze powitanie, jakie go spotkało w tym dniu.

Buck wie wszystko o historii sportu – jest chodzącą encyklopedią goli, forów, rekordów i innych wyników. Właśnie opowiada, jak ktoś kogoś pokonał w siódmej rundzie. Naśladuje nokaut:

– Bach! Bach! No i, stary, już go ma!

Rick słucha, siedząc okrakiem na ławce. Panuje tu zawsze atmosfera rozleniwienia. Taki Rick bierze zwykle trzy albo cztery godziny ćwiczeń i spędza większość czasu, paplając o świecie rozrywki, o sportowych samochodach, piłce nożnej i boksie – bardzo rzadko, rzecz dziwna, o seksie. Może wynika to po części z troski o moralność chłopców i młodych nastolatków, którzy zwykle kręcą się w pobliżu. Kiedy Rick mówi do samych dorosłych, lubi popisać się dowcipem i aktorską swadą, ale przy chłopcach jest prosty jak wioskowy głupek. Wygłupia się dla nich, robi sztuczki magiczne, i opowiada im – z kamienną twarzą – historię o pewnym sklepie na Long Beach, gdzie raz na jakiś czas, nagle i bez żadnego uprzedzenia, ogłaszają Dzień Szansy. W taki dzień każdy klient, który wyda w tym sklepie co najmniej dolara, otrzymuje za darmo jaguara, porsche albo mg. (W pozostałe dni sklep jest zwykłym antykwariatem). Kiedy słuchacze domagają się od Ricka, żeby im pokazał samochód, który dostał, wychodzi z nimi na ulicę i pokazuje odpowiedni wóz. Kiedy chłopcy sprawdzają plakietkę ubezpieczenia i stwierdzają, że samochód należy do kogoś innego, Rick przysięga, że to jego prawdziwe nazwisko, które zmienił, kiedy zaczął być aktorem. Chłopcy skłonni by byli uwierzyć, ale krzyczą, że jest kłamcą i wariatem i rzucają się na niego z kułakami. Wtedy Rick skacze zabawnie po sali gimnastycznej na czworakach, jak pies.

George kładzie się na pochyłej leżance, żeby ćwiczyć skłony. Z tym trzeba się zawsze od nowa oswajać – ciało nie lubi skłonów bardziej niż innych ćwiczeń. Kiedy tak wprowadza się w odpowiedni nastrój, podchodzi Webster i kładzie się na sąsiedniej leżance. Webster ma dwanaście albo trzynaście lat, jest szczupły, zgrabny, wysoki jak na swój wiek – ma długie, gładkie złociste nogi chłopca. Jest delikatny i nieśmiały; porusza się po sali gimnastycznej jak we śnie, niemniej sumiennie wykonuje ćwiczenia. Z pewnością sądzi, że jest za chudy, i przysiągł sobie, że się wyrobi na potężnego, szerokiego w barach, mocno umięśnionego mężczyznę. George mówi:

– Cześć, Web. – A Webster odpowiada nieśmiałym, cichym szeptem:

– Cześć, George.

Teraz Webster zaczyna ćwiczyć skłony, a George, pod wpływem nagłego impulsu, ściągnąwszy koszulkę, idzie za jego przykładem. W miarę postępów George czuje, jak rodzi się między nimi sympatia. Nie rywalizują ze sobą, ale młodość i gibkość Webstera jakby opanowały George'a, a w tej pożyczonej energii jest coś wspaniałego. Odwracając uwagę od swoich protestujących mięśni i skupiając ją na sprężającym się i rozprężającym ciele Webstera, George czerpie stąd siły, które pozwalają mu przekroczyć zwyczajowe czterdzieści skłonów do pięćdziesięciu, sześćdziesięciu, siedemdziesięciu, osiemdziesięciu. Czy ma zaryzykować setkę? Nagle zdaje sobie sprawę, że Webster przerwał ćwiczenie. Natychmiast opuszczają go siły. I on przerywa, dysząc ciężko – choć nie ciężej niż Webster. Leżą tak i dyszą jeden obok drugiego. Webster przekręca głowę i patrzy na George'a, który mu najwyraźniej zaimponował.

– Ile zwykle robisz? – pyta.

– Och, to zależy.

– To ćwiczenie mnie po prostu zabija. Ludzie!

Jaka to rozkosz pobyt w tej sali. Gdyby tak człowiek mógł spędzić całe życie w tej krainie łatwej demokracji fizycznej. Nikt tu nie bywa wredny, wściekły albo wścibski. Próżność, łącznie z najbezczelniejszymi pozami przed lustrem, uważa się tu za rzecz całkiem naturalną. Boski młody baseballista zwierza się wszystkim z obawy, że ma za wątłe kostki. Pulchny bankier wciera w policzki krem do twarzy i mówi bez ogródek: „Nie mogę sobie pozwolić na starzenie". Nikt nie jest doskonały i nikt nie udaje, że jest. Nawet paru dość znanych aktorów nie puszy się tutaj. Najmłodsi chłopcy siedzą niewinni w swej nagości obok sześćdziesięcio- i siedemdziesięciolatków w łaźni parowej i wszyscy mówią sobie po imieniu. Nikt nie jest zbyt odrażający ani zbyt piękny, żeby nie można go było zaakceptować na prawach równości. Zresztą, czyż każdy nie jest ładniejszy tu niż na zewnątrz?

Dziś George bardziej niż w inne dni nie ma ochoty opuszczać tego miejsca. Robi dwa razy więcej ćwiczeń niż zwykle, spędza dłuższy czas w łaźni parowej, suszy sobie dokładnie włosy.

Kiedy wreszcie pojawia się na ulicy, zbliża się już pora zachodu słońca. George nagle, pod wpływem impulsu, podejmuje kolejną decyzję: zamiast jechać prosto w kierunku plaży, robi długi objazd po wzgórzach.

Dlaczego? Po części dlatego, że chce ponapawać się tym nieskomplikowanym, rozluźnionym i szczęśliwym nastrojem, w jaki niemal zawsze wprawiają go ćwiczenia fizyczne. Jak to dobrze czuć zadowolenie i wdzięczność ciała, które, choćby nie wiem jak protestowało, lubi, kiedy się je zmusza do wykonywania takich zadań. Teraz, przynajmniej przez jakiś czas, nie będzie kurczów nerwu błędnego, odźwiernik się uspokoi, zartretyzowane kciuki i kolana przestaną stawać okoniem. Jakiż to wypoczynek, kiedy, nie odczuwając potrzeby dodatkowych bodźców, można nikogo nie nienawidzić! George ma nadzieję utrzymać ten nastrój, przynajmniej dopóki prowadzi samochód.

Poza tym chce znów popatrzeć na wzgórza – nie był tam już od bardzo dawna. Przed laty, jeszcze nawet przed Jimem, kiedy George po raz pierwszy przyjechał do Kalifornii, lubił robić wycieczki na wzgórza. Fascynowała go dzikość tego terenu, słabo zaludnionego, a wznoszącego się tuż przy granicy miasta. Czuł dreszczyk swojej obcości, był jak intruz, który zapuszcza się w głąb wrogiej, prymitywnej przyrody. Jeździł tam o zachodzie albo bardzo wczesnym rankiem, parkował samochód i wędrował leśnymi przesiekami, obserwując z daleka jelenie, które znikały w chaszczach kanionu, zatrzymując się, by obserwować jastrzębia, który krążył nad głową, omijając ostrożnie włochate tarantule, które pełzły po ścieżce, idąc za zygzakowatymi śladami na piasku i dochodząc do zwiniętego w kłębek, pogrążonego w drzemce grzechotnika. Niekiedy, w półmroku przed świtem, natykał się na stado kojotów, które biegły ku niemu kłusem, ze spuszczonymi ogonami. Za pierwszym razem myślał, że to psy, ale one nagle, bez jednego dźwięku, złamały szyk i wielkimi nierównymi susami rzuciły się w dół zbocza.

Tego wszak popołudnia George nie odczuwa ani śladu dawnego podniecenia, ni lęku: od samego początku coś nie gra. Stroma i kręta droga, która wtedy wyglądała romantycznie, teraz jest po prostu dziwna i niebezpieczna. Raz po raz na ostrych zakrętach natyka się na inny samochód i musi gwałtownie zjeżdżać na pobocze. Zanim dotarł na szczyt, prysło poczucie odprężenia. Nawet tutaj, tak wysoko, buduje się nowe domy. Teren staje się powoli przedmieściem. To prawda, zachowało się parę niezamieszkanych kanionów, ale George nie umie się już nimi cieszyć – przeszkadza mu świadomość położonego w dole miasta. Rozrosło się i rozpostarło po obu stronach wzgórz, na północ i na południe, zajmując całą równinę. Pożarło dzikie łąki i pola uprawne, i ostatnie pasma sadów pomarańczowych, wessało okoliczne jeziora i wyciągnęło soki z lasów na szczytach wzgórz. Niebawem będzie piło odsoloną wodę morską. A mimo to umrze. Nie muszą go rujnować rakiety, nie musi mrozić kolejna era lodowcowa, nie trzeba potężnego trzęsienia ziemi, które by je rozerwało i cisnęło do Pacyfiku. To miasto umrze z przerostu. Umrze, ponieważ wyschły jego korzenie – zuchwałość i chciwość, które były tego miasta główną siłą. A wtedy powróci pustynia, która jest stanem przyrodzonym tej krainy.

Niestety, George wie to z całą pewnością i przyjmuje z bólem. Zatrzymuje samochód, staje na brudnożółtym zapylonym poboczu drogi, obok krzaku manzanity, i wodzi wzrokiem po całym Los Angeles niczym smętny żydowski prorok zagłady, oddając przy tym mocz. „Upadł Babilon, upadł ten wielki gród". Ale, to miasto nie jest wielkie, nigdy nie było wielkie, a mimo to lada chwila padnie.

Zapina spodnie, wraca do samochodu i jedzie dalej, całkowicie przygnębiony. Chmury gromadzą się nisko nad wzgórzami, nadając im wygląd północny i smutny, niemal walijski; dzień zmierzcha, światła rozbłyskują jak fałszywe klejnoty po całej równinie; droga wije się w dół ku Bulwarowi Zachodzącego Słońca, a George zmierza ku oceanowi.

Supermarket jest jeszcze otwarty – zamykają dopiero o północy. Jest w nim niezwykle jasno. Ta jasność daje schronienie przed samotnością i przed mrokiem. Można by tu spędzić wiele godzin życia w błogim stanie zawieszonej niepewności i medytować nad wielością rzeczy przeznaczonych do jedzenia. Mój Boże, ile tego wszystkiego! Towary różnych marek w błyszczących opakowaniach, na każdy miałoby się apetyt. I każdy towar na półkach woła do ciebie: Weź mnie! Weź mnie! sama ilość tych wezwań napawa cię poczuciem, że jesteś pożądany, może nawet kochany. Ale strzeż się – kiedy wrócisz do swego pustego pokoju, okaże się, że nabrał cię pochlebczy duszek reklamy: masz tylko tekturę, celofan i żywność. I przechodzi ci nawet ochota na jedzenie.

Ale zarazem to jasno oświetlone miejsce nie jest wcale schronieniem. Bo między butelkami, kartonowymi opakowaniami i puszkami czyhają szokująco żywe wspomnienia posiłków, do których tu robił zakupy, które potem gotował i spożywał z Jimem. Przeszywają George'a jak nożem, kiedy mija półki, popychając wózek na zakupy. Czy może czuć się naprawdę samotny ktoś, kto nigdy nie jadł sam?

Czyż jednak nie byłoby rzeczą niezwykle ryzykowną powiedzieć: dziś nie będę jadł sam? Czyż to nie początek równi pochyłej – od jadania i popijania przy barze, do picia w domu, bez jedzenia, do załamań, tabletek nasennych i nieuniknionego w końcu przedawkowania? Ale kto powiedział, że muszę być dzielny? – zadaje sobie pytanie George. Czyja egzystencja zależy ode mnie? Kto się moim losem przejmuje?

Stajemy się sentymentalni, mówi sobie, próbując dokonać wyboru pomiędzy halibutem, okoniem morskim, befsztykiem i frytkami. Czuje do tych produktów niesmak i obrzydzenie, a potem nagły gniew. Do diabła z jedzeniem! Chętnie porzuciłby wózek, choć jest już pełen zakupów. Ale to by oznaczało dodatkową pracę dla sprzedawców, a jeden z nich jest milutki. Alternatywa: porozkładać wszystko samemu na miejsca – wydaje mu się herkulesowym trudem, albowiem ogarnął go smutek i zniechęcenie. Przy takim zniechęceniu najlepiej położyć się do łóżka i czekać, aż się wykluje choroba.

Toteż dopycha wózek do kasy, płaci, a w drodze na parking zatrzymuje się, wchodzi do kabiny telefonicznej i wykręca numer.

– Halo.

– Cześć, Charley.

– Geo!!!

– Posłuchaj, czy nie jest już za późno na zmianę planów? Na dziś? Bo wiesz... jak dzwoniłaś rano, wydawało mi się, że jestem umówiony... Ale właśnie się dowiedziałem, że oni...

– Oczywiście, że nie jest za późno! – Nawet nie słucha jego kłamliwych wymówek. Jej radość przebija się ku niemu spontanicznie, szybciej nawet niż słowa przez plątaninę linii telefonicznych. I od razu Geo i Charley są połączeni, są kolejną szczęśliwą parą tego wieczoru, pośród tylu samotnych wędrowców. Gdyby któryś sprzedawca patrzył w tej chwili na George'a, ujrzałby, jak w oszklonej kabinie jego twarz rozjaśnia się i promienieje radością niczym twarz kochanka.

– Czy mogę ci coś przywieźć? Jestem właśnie w sklepie...

– Ależ nie, dziękuję ci, Geo drogi! Mam mnóstwo żarcia. Ostatnio zawsze kupuję więcej niż trzeba. Przypuszczam, że to dlatego...

– W takim razie będę za małą chwilę. Muszę po drodze wpaść do domu. Na razie.

– Ach, Geo, jak to miło! *Au revoir*!

Ale George jest tak perwersyjny, że nastrój znów mu się zmienia, nim zdążył skończyć przekładać zakupy do samochodu. Czy ja naprawdę chcę się z nią spotkać? – zadaje sobie pytanie. A potem: Co mnie u diabła podkusiło? Wyobraża sobie wieczór, jaki mógłby spędzić w zacisznym domu – przygotowałby kolację z kupionych produktów, a potem leżałby na kanapie obok półki z książkami i powoli usypiałby się lekturą. Na pierwszy rzut oka wygląda to na całkowicie przekonującą scenkę z cyklu uroki życia domowego. Ale już za chwilę George spostrzega brak jednego elementu, bez którego całość nie ma sensu. Nie umieścił w tej scence Jima, który leży naprzeciw niego, na drugim końcu kanapy, i też czyta książkę: obaj są zaabsorbowani lekturą, a zarazem każdy jest świadom obecności drugiego.

Po powrocie do domu zdejmuje garnitur i wkłada wojskową koszulę koloru khaki, spłowiałe niebieskie dżinsy, mokasyny i sweter. (Od czasu do czasu nachodziły go wątpliwości, czy tego rodzaju strój nie stwarza wrażenia, że George stara się ubierać młodzieżowo. Ale Jim odpowiadał zwykle, że nie, że takie ubranie bardzo do niego pasuje – że wygląda w nim jak Rommel w cywilnych ciuchach. George to uwielbiał).

W chwili, kiedy jest gotów do wyjścia, rozlega się dzwonek u drzwi. Kto to może być, o tej porze?

Pani Strunk!

(Co ja takiego zrobiłem, żeby jej dać powód do przyjścia na skargę?).

– Hmm, dobry wieczór... – (Najwyraźniej jest zdenerwowana i speszona; ma bez wątpienia świadomość tego, że przekroczyła graniczny most i znalazła się na wrogim terytorium). – Wiem, że tak bez uprzedzenia. Ja... to znaczy myśmy już dawno chcieli pana prosić... wiem, że pan jest taki zapracowany... ale nie widzieliśmy się już tak dawno... i pomyśleliśmy sobie... czy nie znalazłby pan przypadkiem chwili czasu, żeby wpaść do nas na kieliszek?

– To znaczy... w tej chwili?

– No... tak. Jesteśmy sami w domu.

– Okropnie mi przykro. Ale niestety muszę wyjść, właśnie się zbierałem.

– Aha. No, dobrze. Obawiałam się, że nie będzie pan miał czasu. Ale...

– Proszę posłuchać – mówi George i naprawdę tak myśli. Jest w tej chwili autentycznie zaskoczony, mile zaskoczony i wzruszony. – Naprawdę chciałbym przyjść. I to bardzo. Czy moglibyśmy od razu znaleźć inny termin?

– No tak, oczywiście. – Ale pani Strunk mu nie wierzy. Uśmiecha się ze smutkiem. I nagle George za wszelką cenę stara się ją przekonać.

– Przyszedłbym z rozkoszą. Może jutro?

Pani Strunk rzednie mina.

– Ach, jutro. Obawiam się, że to nie najlepszy termin. Widzi pan, jutro nasi przyjaciele przyjeżdżają do nas z Doliny i...

I mogliby zauważyć, że ze mną coś nie tak, i byłoby wam wstyd, myśli George, dobra, dobra.

– Oczywiście, rozumiem – mówi. – Ale spotkajmy się jak najszybciej, dobrze?

– Och, tak – zgadza się pani Strunk gorliwie. – Jak najszybciej...

Charlotte mieszka przy Soledad Way, wąskiej i stromej uliczce, która wieczorem jest po obu stronach tak szczelnie zastawiona samochodami, że na jezdni dwa jadące naprzeciw siebie auta z trudem się mijają. Jeśli ktoś przyjedzie tu, kiedy mieszkańcy powracali już z pracy, będzie musiał zapewne zaparkować parę ulic dalej, u stóp wzgórza. Ale ten problem nie dotyczy George'a, który ze swojego domu ma do Charley pięć minut spacerem.

Jej dom stoi wysoko na wzgórzu, prowadzą do niego trzy piętra powykrzywianych drewnianych schodów w stylu wiejskim, w sumie siedemdziesiąt stopni. Na poziomie ulicy znajduje się podniszczona buda przeznaczona na garaż. Charlotte załadowała go aż po sufit poobijanymi walizkami i skrzynkami z niepotrzebnymi rupieciami. Jim mawiał, że zastawiła sobie garaż po to, żeby nie musieć kupować samochodu. Tak czy siak zdecydowanie nie chce nauczyć się prowadzić. Jeśli musi gdzieś pojechać, a nikt nie proponuje, że ją podwiezie, cóż, wtedy – trudno – nie jedzie. Ale sąsiedzi zazwyczaj jej pomagają: onieśmiela ich i oczarowuje swoją brytyjskością, którą George też umie się bezbłędnie posługiwać, choć w innym stylu.

Sąsiedni dom stoi na poziomie ulicy. Wchodząc po schodach ma się bezpośredni wgląd w brudy życia domowego (trzeba otwarcie przyznać, że Soledad pod względem społecznym stoi o jeden poziom niżej od Camphor Tree Lane): wannę obwieszoną majtkami i pieluchami, podkładkę przewieszoną przez ramię prysznica, sprężynę do przepychania rur na podłodze. Dzieci sąsiadów nie ma akurat w polu widzenia, ale zbocze ponad ich domem stanowi dokładnie udeptaną pochyłą pustynię, na której rośnie tylko parę kaktusów. Na samym szczycie pustyni tkwi przypominające szubienicę urządzenie z przymocowaną siatką, służące do gry w koszykówkę.

Działkę Charlotte można jeszcze ciągle określać mianem ogrodu. Opada w dół tarasami, gdzieniegdzie kwitną też róże. Niestety, są dość zaniedbane: kiedy Charley przeżywa okres depresji, nawet biedne roślinki odczuwają tego skutki. Rozrosły się, niepielęgnowane, w gąszcz długich kolczastych badyli, między którymi krzewi się zielsko.

George wchodzi po stopniach powoli, starając się nie zmęczyć. (Tylko bardzo młodzi mężczyźni nie wstydzą się zadyszki). Te ogrodowe schody są charakterystyczne dla okolicy. Niektóre mają oryginalne wzorki, malowane przez kolonistów-cyganerię, a przeznaczone niewątpliwie dla gości, którzy pijani wspinali się po nich na czworakach: byle w górę i do przodu. Nie załamywać się! Kiepsko z tobą, stary. Poczekaj, chyba nie chcesz tutaj umierać? Czy to już niebo?

Schody stały się poniekąd narzędziem pośmiertnej zemsty kolonistów na ich następczyniach, współczesnych paniach domu: są przeszkodą dla wszystkich ułatwiających domowe prace urządzeń. Wyjąwszy gigantyczny dźwig, nie ma żadnego innego sposobu, żeby je dostarczyć do domu, jak tylko ręcznie. Lodówkę, kuchenkę, wannę i wszystkie meble wepchnęli i wciągnęli do domu Charley silni, wściekle klnący mężczyźni. A potem wystawili słone rachunki i oczekiwali potrójnego napiwku.

Charley wychodzi z domu, kiedy George jest prawie u szczytu schodów. Wyglądała go, jak zwykle, i na pewno lękała się, że w ostatniej chwili coś mu wypadnie. Spotykają się na małym i chwiejnym drewnianym ganku i witają uściskiem. George czuje, jak jej miękkie, pulchne ciało przyciska się do niego. Potem nagle ona rozluźnia uścisk z lekkim klepnięciem po plecach, które ma oznaczać, że nie chce bynajmniej przesadzać w czułości; świetnie wie, że co za dużo, to niezdrowo.

– Chodźże wreszcie – mówi.

Zanim wejdzie za nią do domu, George rzuca okiem na dolinkę rozciągającą się aż do linii latarni na bulwarze, za którym zaczyna się plaża i czarny, niewidoczny stąd ocean. Jest łagodna bezwietrzna noc, pasma oceanicznej mgły przyćmiewają niektóre światła w niżej położonych domach. Kiedy mgła jest naprawdę gęsta, z ganku w ogóle nie widać domów, latarnie są przyćmione, a gniazdko Charlotte staje się cudownie odcięte od świata.

Jest to niewyszukane, prostokątne pudełko, prefabrykat; wznoszono takie zaraz po wojnie. Gazety piały nad nimi, reklamowano je jako domy przyszłości, ale się nie przyjęły. Duży pokój jest wyłożony japońskimi matami i bardzo suwenirowo orientalny w wystroju. Latarnia z herbaciarni przy drzwiach, dzwoneczki w oknach, na ścianie duży latawiec w kształcie ryby, z czerwonego papieru. Dwa zwijane obrazki: wściekły japoński tygrys prychający na pikującego (amerykańskiego?) orła oraz nieśmiertelny człowiek, który siedzi pod drzewem, a z brody wyrasta mu tuzin sześciometrowych włosów. Trzy niskie legowiska upstrzone wesołymi jedwabnymi poduszkami, które są za małe, żeby się mogły nadawać do czegoś pożytecznego, ale doskonałe do rzucania w innych.

– Ojejku, dopiero teraz czuję, jak tu nasmrodziłam gotowaniem! – wykrzykuje Charlotte. I niewątpliwie ma rację. George odpowiada uprzejmie, że pachnie wspaniale i że od razu nabrał wilczego apetytu.

– Spróbowałam nowego rodzaju gulaszu. Pomysł wzięłam ze wspaniałej książki, którą Myrna Custer przywiozła mi z Borneo. Kłopot w tym, że autor wyraża się czasami nieprecyzyjnie, więc musiałam trochę improwizować. Choć nie ma o tym mowy wprost, mam podejrzenie, iż to danie powinno się przygotowywać z ludzkiego mięsa. Zamiast tego dodałam niedopałki skrętów...

Jest znacznie młodsza od George'a – w tym roku skończy czterdzieści pięć lat – ale, podobnie jak on, należy do rasy przeżytków. Ma typowy dla przeżytków wygląd zbitego psa. Sądząc po fotografiach, była całkiem ładna, dopóki duże szare oczy kontrastowały z kolorami młodości. Teraz twarz ma nabrzmiałą i pokrytą czerwonymi plamkami, a włosy, które kiedyś zapewne pięknie puszyły się wokół głowy, są zaniedbane. Ale Charlotte się nie poddaje. Jej ubiór nie jest pozbawiony swoistej, nieco groteskowej, galanterii: wyszywana wiejska bluzka w śmiałych kolorach, czerwonym, żółtym i fioletowym, z rękawami podwiniętymi do łokci, cygańsko-meksykańska spódnica, w której wygląda, jakby się owinęła kocem, oraz nabijany srebrem pas kowbojski, tylko podkreślający brak talii. Poza tym, jeśli już musi nosić sandały na bose nogi, to czemu nie pomalowała sobie paznokci? (Może mamy tu do czynienia z pozostałościami drobnomieszczańskiego purytanizmu?). Jim powiedział jej kiedyś półżartem: „Widzę, że przejęłaś tutejszy strój ludowy, Charley”? Zaśmiała się, wcale nieurażona, ale nie zrozumiała, o co mu chodziło. I do dziś nie rozumie. Ona po prostu uważa, że tak wygląda niezobowiązujący ubiór w Kalifornii, i naprawdę nie dostrzega, że ubiera się inaczej niż jej sąsiadka, pani Peabody.

– Czy już ci o tym mówiłam, Geo? Nie, na pewno nie. Otóż podjęłam dwa postanowienia noworoczne, i to ze skutkiem natychmiastowym. Po pierwsze, stanowczo obstaję przy tym, że nie znoszę burbona. (Wymawia to uroczyście, jakby chodziło o przedstawiciela dynastii, a nie o whisky). Udawałam, że jest inaczej, odkąd tylko przyjechałam do Ameryki – tylko dlatego, że Buddy lubił whisky. Ale teraz – spójrzmy prawdzie w oczy – kogo miałabym nabierać?

Uśmiecha się do George'a bardzo dzielnie i wymownie, żeby go upewnić, że nie jest to przygrywka do kolejnej porcji bluesa o Buddym. Zaraz potem ciągnie dalej:

– Drugie postanowienie sprowadza się do tego, iż zamierzam przestać protestować przeciwko rozwścieczającemu mnie zawsze zarzutowi, iż kobiety przyrządzają za mocne koktajle. Bo przyrządzają! Przypuszczam, że robią to z chorobliwej potrzeby przypodobania się mężczyznom. Dlatego od razu wprowadźmy nowe porządki, dobrze? Sam zmieszaj napoje dla siebie i dla mnie – ja poproszę wódkę z tonikiem.

Bez wątpienia nie będzie to jej pierwsza wódka tego dnia. Kiedy zapala papierosa, drżą jej ręce. (Indonezyjska popielniczka jest, jak zwykle, pełna umazanych szminką niedopałków). Potem Charlotte prowadzi go do kuchni niepewnym, prawie kulejącym krokiem, który świadczy o reumatyzmie i zwapnieniu kości.

– Wspaniale, żeś dzisiaj przyszedł, Geo.

George uśmiecha się stosownie, nic nie mówiąc.

– Zrezygnowałeś z innego spotkania, prawda?

– Nie! Mówiłem ci przez telefon – to oni odwołali w ostatniej chwili...

– Ależ, Geo, przestań! Wiesz, czasem myślę sobie,

że kiedy robisz coś naprawdę wspaniałego, to potem się tego wstydzisz! Świetnie wiedziałeś, jak bardzo potrzebuję dzisiaj twojej obecności, i dlatego zrezygnowałeś z tamtego spotkania. Zorientowałam się, że coś kręcisz, jak tylko otworzyłeś usta. My dwoje nie umiemy się oszukiwać. Przekonałam się o tym dawno temu. A ty tego nie widzisz – po tylu latach?

– Rzeczywiście, to mój błąd – George przytakuje z uśmiechem, myśląc jednocześnie: i jaka to absurdalna, choć powszechnie uznawana bzdura, że twoi najbliżsi przyjaciele z definicji muszą cię najlepiej rozumieć. Jakby i tak nie było na świecie za dużo zrozumienia – przede wszystkim tego osławionego zrozumienia między kochankami, opiewanego w piosenkach i w powieściach, które w gruncie rzeczy jest taką torturą, że żadna para nie jest go w stanie znieść bez częstych wyjazdów lub kłótni. Droga Charley, myśli, mieszając koktajle w zagraconej, niezbyt czystej kuchni, jakżebym przebrnął przez te wszystkie lata bez twojego cudownego braku rozeznania? Ileż to razy, kiedy byliśmy z Jimem pokłóceni i przychodziliśmy do ciebie nadąsani, unikając wzajemnie swego wzroku, rozmawiając ze sobą tylko poprzez ciebie, ty jakoś umiałaś nas pogodzić przez samą nieświadomość, że coś jest nie w porządku?

I oto teraz, kiedy nalewa dla niej wódkę (nie za dużo, żeby zwolnić tempo), a dla siebie szkocką (sporo, żeby nadrobić zaległości), George odczuwa ten niezmiernie tajemniczo zwyczajny stan – nie rozkoszy, nie ekstazy, nie radości, tylko po prostu szczęścia. *Das Glück, le bonheur, la felicidad* – dawano mu imię we wszystkich trzech rodzajach, ale trzeba przyznać, że Hiszpanie mają rację – jest to stan kobiecy w tym sensie, że przez kobiety wytwarzany. Charley wytwarza go zdumiewająco często – z tego, nawiasem mówiąc, także najwyraźniej nie zdaje sobie sprawy, ponieważ udaje jej się to nawet wtedy, kiedy sama jest nieszczęśliwa. Jeśli chodzi o George'a, jego *felicidad* ma w sobie coś wyszukanie egoistycznego: potrafi się nią napawać nawet wtedy, gdy Charley zaczyna bluesa o Buddym albo popada w załamanie na tle Freda (jedno z dwojga czeka ich niechybnie tego wieczoru). Zdarzają się wprawdzie nieszczęsne wypadki, kiedy ona zaczyna bluesa, a ty nie zaznajesz *felicidad*, i wtedy można się zanudzić na śmierć. Ale nie dzisiaj. Dziś George ma zamiar dobrze się bawić.

Charlotte tymczasem zajrzała do piecyka, po czym zamknęła drzwiczki, oznajmiając:

– Jeszcze dwadzieścia minut! – z niezachwianą pewnością szefa kuchni, do którego jej daleko.

Kiedy wracają z koktajlami do dużego pokoju, Charlotte mówi:

– Dzwonił do mnie Fred, wczoraj w nocy.

Mówi to bezbarwnym, ściszonym tonem załamania.

– Ach, tak? – George'owi udaje się dać wyraz zdziwieniu. – Gdzie on się teraz podziewa?

– W Palo Alto. – Charlotte sadowi się na legowisku pod papierową rybą, z pełnym dramatyzmu namaszczeniem, jakby chciała powiedzieć: „Na Syberii".

– W Palo Alto... Chyba już tam kiedyś mieszkał?

– Oczywiście. Tam mieszka ta jego dziewczyna. Jest z nią oczywiście... Muszę się oduczyć mówienia „ta jego dziewczyna". Ma przecież imię i nazwisko, i trudno by mi było udawać, że ich nie znam: Loretta Marcus. Zresztą to nie moja sprawa, z kim Fred teraz mieszka i co ona z nim robi. Jej matka podobno nie ma nic przeciwko temu. Zresztą, mniejsza o to... Długo rozmawialiśmy. Tym razem był całkiem miły i rozsądnie oceniał sytuację. A przynajmniej czułam, że bardzo się stara... Geo, nie ma co dalej tego tak ciągnąć. On już się zdecydował, raz i na dobre. Nie chce już nigdy wrócić do domu.

Głos jej niepokojąco drży. George mówi bez przekonania:

– On jest ciągle strasznie młody.

– Jest strasznie stary jak na swój wiek. Już dwa lata temu dałby sobie sam radę, gdyby musiał. Nie mogę go traktować jak dziecko tylko dlatego, że jest nieletni – nie mogę sądownie sprowadzić go do domu. Zresztą on by mi tego nigdy nie wybaczył...

– Już nie raz zmieniał zdanie.

– Tak, wiem. I wiem, że twoim zdaniem on jest wobec mnie w porządku. Nie mam o to do ciebie pretensji. To znaczy uważam za rzecz naturalną, że bierzesz moją stronę. Ale ty sam nigdy nie miałeś dzieci. Nie masz mi za złe, że o tym przypominam, Geo drogi? Och, tak mi przykro...

– Nie wygłupiaj się, Charley.

– Zresztą nawet gdybyś miał dzieci, to by nie było to samo. Stosunki między matką a synem – zwłaszcza jeśli ona musi go wychowywać sama, bez ojca – to prawdziwe piekło. To znaczy matka wciąż próbuje, ale wszystko, co zrobi albo co powie, obraca się na złe. Ja go tłamszę, powiedział mi kiedyś. Najpierw nie zrozumiałam... po prostu nie mogłam się z tym pogodzić... ale teraz rozumiem... musiałam zrozumieć... I rzeczywiście myślę, że ma rację: on powinien żyć swoim życiem – niezależnie ode mnie – i nawet gdyby mnie błagał, przez dłuższy czas nie powinnam się z nim widzieć... Przepraszam cię, Geo... ja nie chciałam... tak mi... przykro...

George przysuwa się do niej na legowisku, obejmuje ją jedną ręką, delikatnie i bez słowa ściska łkającą pulchność. Nie jest wcale zimny i niewzruszony. Naprawdę współczuje Charley w jej kłopocie, a mimo to *felicidad* pozostaje nietknięta; George czuje się dobrze. Wolną ręką sięga po szklankę, uważając, żeby tego gestu nie dało się odczuć poprzez zaangażowaną połowę ciała.

Jakie to dziwne uczucie: siedzieć tak obok płaczącej Charley i przypominać sobie tamtą noc, kiedy połączono rozmowę z Ohio. Stryj Jima, którego George nie miał okazji poznać, starał się zdobyć na ton współczucia, był nawet skłonny przyznać mu prawo do pewnego honorowego udziału w rodzinnej żałobie, ale potem, w trakcie rozmowy, zmroziły go lakoniczne odpowiedzi George'a, jego „tak", „rozumiem", „tak", jego krótkie „nie, dziękuję" na propozycję wzięcia udziału w pogrzebie, i chyba w końcu uznał, że ten współlokator, o którym tyle się mówiło, nie był w ostatecznym rachunku aż tak bliskim przyjacielem... Dopiero potem, co najmniej pięć minut po odłożeniu słuchawki, runęła pierwsza fala szoku, wiadomość bez znaczenia nagle nabrała złowrogiego sensu. George rzucił się na oślep na szczyt wzgórza, w ciemności, potykając się na stopniach, potem łomotał w drzwi Charley, płakał, szlochał i wył na jej szyi, na jej piersi, wszędzie; a Charley ściskała go, głaskała po głowie, mówiła to, co się w takich razach mówi... Nazajutrz po południu, kiedy obudził się z odrętwienia wywołanego tabletkami nasennymi, jakimi go nafaszerowała, czuł tylko obrzydzenie: zdradziłem cię, Jim, zdradziłem nasze wspólne życie, zrobiłem z niego rzewną historyjkę dla spódniczki. Ale to był tylko drobny napad histerii, fragment drugiej fali szoku. Szybko minął. A tymczasem Charley, z dobroci swego naiwnego serduszka, kompletnie opanowała sytuację: gotowała dla niego i przynosiła do jego domu, kiedy go nie było, dania owinięte w folię, wystarczyło je tylko podgrzać; zostawiała mu kartki, w których pisała, że może do niej zadzwonić o każdej porze dnia i nocy, im później, tym lepiej; ukrywała przed swoimi przyjaciółkami prawdę, robiąc przy tym tak tajemnicze miny, że na pewno podejrzewały, iż Jim musiał pośpiesznie opuścić stan w wyniku jakiegoś skandalu erotycznego – aż w końcu zmieniła śmierć Jima w coś, co było całkowicie jej własnym tworem:

w kompletną farsę. (George uśmiecha się teraz sam do siebie). Doprawdy, cieszy się, że pobiegł do niej tamtej nocy. Tamtej nocy, przy całej swej ignorancji, dała mu nauczkę, której nigdy nie zapomni, a mianowicie, że nie można zdradzić (co za idiotyczne słowo!) Jima albo życia z Jimem, nawet jeśli ktoś by się bardzo starał.

Charlotte tymczasem powoli się uspokaja. Jeszcze parę pociągnięć nosem, kolejne „przepraszam" i przestaje.

– Ciągle się zastanawiam, kiedy to się zaczęło psuć.

– Ależ, Charley, na litość boską, co ci z tego przyjdzie?

– Oczywiście gdybyśmy nadal byli razem z Buddym...

– Nikt nie może powiedzieć, że to twoja wina.

– Wina jest zawsze po obu stronach.

– Czy wiesz, co się z nim dzieje?

– Tak, mam regularne wieści. Są ciągle w Scranton. On nie ma pracy. A Debbie właśnie urodziła kolejne dziecko – to już ich trzecie – i znowu dziewczynkę. Nie wiem, jak oni wiążą koniec z końcem. Próbowałam go przekonać, żeby nie przysyłał pieniędzy, mimo że to na Freda. Ale on jest taki uparty jak osioł, jeśli wbije sobie do głowy, że coś stanowi jego obowiązek. Cóż, myślę, że teraz będą to musieli ułożyć między sobą, on z Fredem. Ja kompletnie wyleciałam z gry...

Zapada ponure milczenie. George głaszcze ją pocieszająco po ramieniu.

– Może jeszcze po jednym przed gulaszem?

– Uważam, że to naprawdę świetny pomysł!

Charlotte śmieje się całkiem wesoło. Ale potem, kiedy on bierze jej szklankę, ukradkiem głaszcze go po ręce i mówi ze sporą dozą patosu:

– Jesteś dla mnie tak cholernie dobry, Geo.

Łzy cisną jej się do oczu. George może jednak śmiało udać, że tego nie zauważył i odchodzi.

Gdyby to na mnie najechała ciężarówka, mówi sobie, wchodząc do kuchni, Jim byłby tu teraz, właśnie dzisiaj, wkraczałby przez te drzwi, niosąc te dwie szklanki. Życie jest aż tak proste.

A więc siedzimy tu sobie – mówi Charlotte – całkiem sami we dwoje. Tylko ty i ja.

Piją kawę po kolacji. Gulasz wyszedł całkiem nieźle, choć nie różnił się specjalnie od poprzednich gulaszów Charley, a jego związek z Borneo ograniczał się do nazwy.

– Sami we dwoje – powtarza ona.

George uśmiecha się niewyraźnie, nie wiedząc, czy to wstęp do kolejnej sceny, czy też tylko sentencjonalno-sentymentalne rozrzewnienie, jakie się bierze z wina. Wypili do spółki półtorej butelki.

Ale potem, powoli, w zamyśleniu, jakby to były po prostu oderwane kobiece rojenia, Charlotte dodaje:

– Wydaje mi się, że jutro, pojutrze, muszę się zabrać za opróżnienie pokoju Freda.

Pauza.

– Rozumiesz, póki tego nie zrobię, nie poczuję, że coś się naprawdę skończyło. Czasem trzeba coś zrobić, żeby samego siebie przekonać. Wiesz, o co mi chodzi?

– Tak, Charley. Zdaje mi się, że wiem.

– Oczywiście poślę Fredowi wszystko, czego będzie potrzebował. Resztę mogę pochować. W piwnicy mam mnóstwo miejsca.

– Zamierzasz wynająć jego pokój? – pyta George, ponieważ jeśli ona rzeczywiście do czegoś zmierza, może pojawić się i taka kwestia.

– Och, nie, tego bym nie mogła zrobić. Przynajmniej nie komuś obcemu. Nie miałby zapewnionej pełni prywatności. Musiałby się stać członkiem rodziny... O Boże, muszę się odzwyczaić od tego słowa, to tylko siła przyzwyczajenia... Ale ty mnie rozumiesz, Geo. Musiałby to być ktoś, kogo bym bardzo dobrze znała...

– Rozumiem.

– Bo wiesz, ty i ja, to śmieszne, jedziemy teraz na tym samym wózku. Nasze domy są dla nas za duże, a jednocześnie za małe.

– Zależy, z której strony na to spojrzeć.

– Tak... Mój drogi, jeśli cię o coś zapytam, to nie ze wścibstwa czy czegoś podobnego...

– Pytaj śmiało.

– Teraz, kiedy... kiedy upłynęło trochę czasu... nadal czujesz, że wolisz mieszkać sam?

– Nigdy nie chciałem mieszkać sam, Charley.

– Och, wiem! Przepraszam. Nie miałam zamiaru...

– Wiem, że nie miałaś. Nic się nie stało.

– Oczywiście zdaję sobie sprawę, jak jesteś przyzwyczajony do swojego domu... Nie myślałeś o tym, żeby się przeprowadzić?

– Nie, na serio nie myślałem.

– Nie...

(To zabrzmiało nieco zbyt tęsknie).

– Myślę, że nie mógłbyś się przeprowadzić. Myślę, że póki tam mieszkasz, czujesz się bliżej Jima. Prawda?

– Być może.

Charley wyciąga rękę i ujmuje jego dłoń długim, pełnym głębokiego zrozumienia uściskiem. Potem gasi papierosa (nagle dzielna za dwoje) i mówi pogodnie:

– Mógłbyś nam jeszcze nalać, Geo.

– Najpierw pozmywajmy.

– Ależ, kochanie, zostaw to, proszę! Pozmywam jutro rano. Zrobię to chętnie, naprawdę. Mam w ten sposób jakieś zajęcie. Tak mało...

– Nie sprzeciwiaj się, Charley! Jeśli mi nie pomożesz, sam pozmywam.

– Och, Geo, Geo!

Pół godziny później znów są w dużym pokoju, ze świeżo napełnionymi szklankami w rękach.

– Jak możesz udawać, że jej nie kochasz? – pyta

Charlotte, kokieteryjnie robiąc mu niby-wymówki. – I tęsknisz za nią, chciałbyś tam wrócić, sam wiesz, że tak jest! – (To jeden z jej ulubionych tematów).

– Na miłość boską, ja niczego nie udaję! Zdajesz się zapominać, że ja tam bywałem, i to wielokrotnie, a ty nie. Jestem gotów przyznać, że za każdym razem bardziej mi się podoba. W tej chwili nawet sądzę, że to najbardziej niesamowity kraj świata – przez to, że jest taką wspaniałą mieszaniną. Wszystko się pozmieniało, a zarazem nic. Chyba ci o tym nigdy nie opowiadałem... Otóż zeszłego roku, w samym środku lata, kiedy byliśmy tam z Jimem, pamiętasz, zrobiliśmy sobie wycieczkę przez Costwolds. Pewnego ranka wsiedliśmy do małej kolejki wąskotorowej i zatrzymaliśmy się w wiosce, która była jakby wyjęta z wiersza Tennysona: naokoło ospałe łąki, leniwe krowy, gruchające gołębie, odwieczne wiązy i elżbietański dworek, prześwitujący wśród drzew. A na peronie dwaj tragarze ubrani tak, jak od dziewiętnastego wieku noszą się tragarze. Tyle że byli nimi Murzyni z Trynidadu. A konduktor, sprawdzający bilety przy wyjściu, był Chińczykiem. Mało nie umarłem ze śmiechu. To był właśnie ten jeden moment, którego tak mi brakowało przez te wszystkie lata. Nagle cała sceneria nabrała doskonałości.

– Nie mogę sobie wyobrazić, żeby mnie coś takiego mogło się spodobać – mówi Charlotte. Jej romantyzm, zgodnie z oczekiwaniami George'a, doznał wstrząsu. Prawdę powiedziawszy, George opowiedział jej to, żeby się z nią podroczyć. Ale jej to nie wystarcza. Dopra-sza się o jeszcze. Jest w odpowiednim nastroju do pijackich marzeń.

– A potem pojechaliście na północ, prawda? – podpowiada – żeby obejrzeć dom, w którym przyszedłeś na świat?

– Tak.

– Opowiedz mi o tym!

– Och, Charley, opowiadałem ci dziesiątki razy.

– Opowiedz jeszcze raz, proszę, Geo!

Nalega, jak dziecko, a George nie bardzo umie jej odmówić, zwłaszcza po alkoholu.

– To było wiejskie gospodarstwo. Dom zbudowano w roku 1649, wtedy, kiedy ścięto Karola I...

– W 1649! Och, Geo, tylko pomyśl!

– W sąsiedztwie jest kilka gospodarstw znacznie starszych od naszego. Oczywiście dom był wielokrotnie przerabiany. Ludzie, którzy tam obecnie mieszkają – on jest producentem telewizyjnym w Manchesterze – praktycznie całkiem przerobili wnętrze. Wstawili nowe schody, dorobili drugą łazienkę i unowocześnili kuchnię. Ostatnio pisali mi, że mają nowe centralne ogrzewanie.

– Coś okropnego! Rujnowanie pięknych starych domów powinno być prawnie zakazane. To szaleństwo nowoczesności, myślę, że ono przyszło z tego cholernego kraju.

– Nie bądź gąską, Charley droga! Dom po prostu nie nadawał się do zamieszkania w dotychczasowym stanie. Zbudowano go z miejscowego kamienia, który jest w stanie wchłonąć do ostatniej kropli całą wilgoć z powietrza. A w tamtym klimacie wilgoci nie brakuje. Nawet latem ciągnęło od ścian, a zimą w pokojach, w których od paru dni nie palił się kominek, zimno było jak diabli. Piwnica pachniała grobem. Książki pokrywały się pleśnią, tapety odpadały od ścian, a na rycinach pojawiały się zacieki...

– Kiedy o tym opowiadasz, brzmi to, mimo wszystko, niesłychanie romantycznie. Zupełnie jak *Wichrowe Wzgórza*!

– Dzisiaj okolica przypomina inne przedmieścia. Wystarczy dojść do końca krótkiej dróżki, a jest się na głównej drodze, skąd co dwadzieścia minut odjeżdża autobus do Manchesteru.

– Ale przecież mówiłeś, że dom stoi na skraju bagien.

– Tak, rzeczywiście. To jest właśnie takie dziwne. Jakby się było w dwóch światach. Jeśli się patrzy przez okno od podwórza – nawiasem mówiąc z pokoju, w którym się urodziłem – widok nie zmienił się ani na jotę, odkąd byłem chłopcem. Nadal nie widać domów, tylko gołe wzgórza, poprzecinane kamiennymi murkami, a gdzieniegdzie na horyzoncie spłowiałe plamki innych gospodarstw. No, a drzewa wokół podwórka posadzono wiele, wiele lat przed moim narodzeniem, żeby osłaniały dom – na stoku często wieją wiatry. Wielkie, olbrzymie buki szumią jak fale – to jeden z pierwszych dźwięków, jaki pamiętam. Czasem się zastanawiam, czy to nie dlatego zawsze chciałem mieszkać w pobliżu oceanu...

George'owi coś się stało. Zaczął uprawiać czary, żeby zrobić przyjemność Charley, a teraz sam dał się tym czarom owładnąć. Zdaje sobie z tego sprawę, ale nie robi problemu. To nawet zabawne. Przydaje nowy wymiar upojeniu alkoholowemu. Póki słucha go jedynie Charley! Która właśnie wzdycha z emocji, zachwycona – zachwytem nałogowca na wieść o tym, że ktoś inny też należy do klubu.

– W pobliżu bagien jest niewielki pub, naprawdę ostatni dom w wiosce, przy starej drodze dla dyliżansów, której dziś nikt już nie używa. Chodziliśmy tam z Jimem wieczorami. Nazywa się „Pod Parobkiem". W sali barowej znajduje się niski, ciężki sufit z dębowych belek i duży kominek. Na ścianach wiszą wypchane głowy lisów. I rycina, przedstawiająca królową Wiktorię, która na kucyku jedzie przez Highlands...

Charlotte z zachwytu aż klaszcze:

– Geo! Ja to wszystko widzę!

– Pewnego wieczoru, z okazji urodzin Jima, mieli dłużej otwarte. To znaczy zamknęli drzwi wejściowe, a chętnym dalej nalewali. Czuliśmy się wspaniale, piliśmy guinnessa, kufel za kuflem, więcej, niżbyśmy chcieli, tylko dlatego, że to był owoc zakazany. Był tam taki jeden typ – wszyscy tak o nim mówili: „O, to jest typ, naprawdę!", niejaki Rex, wiejski rozrabiaka. Pracował jako parobek, ale tylko wtedy, kiedy naprawdę musiał. Z początku mówił tonem wyższości, chcąc na nas wywrzeć wrażenie. Jimowi powiedział: „Wy, jankesi, żyjecie w świecie fantazji!". Ale potem stał się bardziej przyjacielski, a kiedy wracaliśmy do gospody, w której mieszkaliśmy, teraz już kompletnie ubzdryngoleni, Rex i ja odkryliśmy coś wspólnego: że obaj znamy na pamięć *Vitae Lampada* Newbolta, uczyliśmy się tego w szkole. Więc oczywiście zaczęliśmy ryczeć: „Dalej, mój panie, przyjm me wyzwanie!". A kiedy doszliśmy do drugiej zwrotki o piasku na pustyni, przesiąkniętym krwią, ja powiedziałem: „Pułkownik się zaciął, rewolwer trafiony", a Rex stwierdził, że to dowcip roku i wtedy Jim usiadł na samym środku drogi, schował twarz w dłoniach i wydał przeraźliwy jęk...

– Chcesz powiedzieć, że nie bawił się tak dobrze jak wy?

– Jim miałby się nie bawić? To był najlepszy ubaw w jego życiu! Przez pewien czas myślałem, że nie uda mi się go z Anglii wyciągnąć. I wiesz, po prostu zakochał się w tym pubie. Cały dom jest zresztą, muszę przyznać, interesujący. Na górze jest salonik, z którego można by zrobić cacko. Do tego spory ogród. Jim chciał, żebyśmy kupili ten dom, zamieszkali tam i razem prowadzili pub.

– Co za wspaniały pomysł! Jaka szkoda, że nic z tego nie wyszło!

– Właściwie nie było to zupełnie niemożliwe. Zasięgnęliśmy języka. Myślę, że właściciele daliby się namówić na sprzedaż. A Jim bez wątpienia nauczyłby się pracy barmana, tak jak nauczył się tylu innych rzeczy.

Oczywiście byłoby sporo korowodów, zezwoleń itepe... Tak, tak, nieraz o tym rozmawialiśmy. Mawialiśmy nawet, że wrócimy tam w tym roku i bliżej się temu przyjrzymy...

– Czy myślisz, że gdyby Jim... czy naprawdę kupilibyście ten dom i osiedli w Anglii?

– Och, któż to może wiedzieć? Zawsze snuliśmy tego rodzaju plany. Nie mówiliśmy o nich innym, nawet tobie. Może dlatego, że w gruncie rzeczy wiedzieliśmy, iż jesteśmy szaleni. Ale skądinąd zrobiliśmy parę szalonych rzeczy, prawda? Cóż, nigdy nie wiadomo... Charlotte, kochanie, oboje nie mamy nic do picia.

Nagle uświadamia sobie, że Charlotte mówi:

– Przypuszczam, że u mężczyzn to wygląda inaczej...

(Co wygląda inaczej? Czyżby się zdrzemnął minutkę? George otrząsa się z odrętwienia).

– Zauważyłam to na przykładzie Buddy'ego. On mógł mieszkać wszędzie. Potrafił przejechać setki kilometrów przez anonimowy krajobraz, a potem nagle rozbić namiot i powiedzieć, że to jest jego miejsce, i to było jego miejsce tylko dlatego, że on tak powiedział. W końcu czyż nie tak samo postępowali pionierzy w tym kraju, wcale nie tak dawno temu? To musiało tkwić w jego krwi – choć wątpię, żeby przetrwało do dziś. Debbie nigdy by na coś takiego nie pozwoliła. Nie, Geo, przysięgam, wcale nie jestem złośliwa. Ja też bym na to nie pozwoliła na dłuższą metę. Kobiety już takie są – po prostu musimy tkwić tam, gdzie nasze korzenie. Dajemy się przesadzić, to prawda, ale musi to zrobić mężczyzna, a jak już to zrobi, musi pozostać przy nas i podsycać, chciałam powiedzieć, podlewać, chciałam powiedzieć, korzenie usychają, kiedy się ich nie podlewa.

Język się jej plącze. Nagle wstrząsa gwałtownie głową, jak przed chwilą George.

– Czy ja jeszcze mówię z sensem?

– Tak, Charley. Czyż nie chcesz mi powiedzieć, że postanowiłaś wrócić?

– Chcesz powiedzieć: wrócić do domu?

– Jesteś pewna, że to nadal jest twój dom?

– Och, Boże, niczego nie jestem pewna, ale teraz, kiedy Fred już mnie nie potrzebuje, czy możesz mi wytłumaczyć, Geo, co ja tu jeszcze robię?

– Masz tu sporo przyjaciół.

– Oczywiście, że mam. Przyjaciele. Prawdziwi przyjaciele. Rodzina Peabody, Garfeinowie, a zwłaszcza Jerry i Flora, Myrna Flores też mi jest bardzo bliska. Ale nikt z tych przyjaciół tak naprawdę mnie nie potrzebuje. Gdybym ich opuściła, nie miałabym z tego powodu najmniejszych wyrzutów sumienia... Posłuchaj, Geo, ale bądź absolutnie szczery, czy jest ktoś, czy jest ktoś taki, z czyjego powodu powinnam odczuwać wyrzuty sumienia, gdybym wyjechała?

„Ja". Ale nie chce tego powiedzieć. Ten rodzaj flirtu jest poniżej ich godności, nawet gdy są pijani.

– Wyrzuty sumienia nie mają nic wspólnego z decyzją o powrocie – mówi stanowczo, ale łagodnie. – Rzecz w tym, czy naprawdę chcesz wyjechać? Jeśli chcesz – jedź. Nie przejmuj się innymi.

Charlotte potakuje z żałosną miną.

– Tak, myślę, że masz rację.

George idzie do kuchni i nalewa następną kolejkę. (Piją teraz chyba w znacznie szybszym tempie. To już powinien być ostatni raz). Kiedy wraca, Charlotte siedzi, załamując ręce i patrzy prosto przed siebie.

– Myślę, że powinnam wracać, Geo. Przeraża mnie to, ale uważam, że naprawdę muszę.

– Dlaczego cię to przeraża?

– Mam parę powodów. Po pierwsze: Nan.

– Przecież nie musisz z nią mieszkać.

– Nie muszę. Ale będę. Tak, jestem pewna, że tak się skończy.

– Ale, Charley, zawsze miałem wrażenie, że wy się nie znosicie.

– To za mocno powiedziane. Poza tym w rodzinie liczą się inne rzeczy. To, że się kogoś nie znosi, nie ma znaczenia. Trudno mi to wytłumaczyć, Geo, bo ty nigdy nie miałeś rodziny, prawda, z wyjątkiem wczesnego dzieciństwa. Nie powiedziałabym, że się nie znosimy. Choć, oczywiście, kiedy poznałam Buddy'ego – a zwłaszcza kiedy odkryła, że ze sobą sypiamy – Nan mnie po prostu znienawidziła. No, ale w tamtych latach Buddy to był chłopak jak marzenie. Najlepsza siostra mogłaby się poczuć zazdrosna. Ale nie to było najważniejsze. Rzecz w tym, że Buddy był amerykańskim żołnierzem i miał zamiar wziąć mnie po ślubie ze sobą do Stanów. A Nan po prostu marzyła o tym, żeby tu przyjechać – jak tyle dziewcząt w powojennej Anglii, zmęczonych kartkami i biedą – tyle że prędzej by umarła, niżby się do tego przyznała. Uważała, że sama chęć wyjazdu jest brakiem lojalności wobec Anglii. Przypuszczam, iż prędzej by się przyznała, że jest o mnie zazdrosna, i o Buddy'ego! Czy to nie zabawne?

– Twoja siostra oczywiście wie, że rozeszliście się z Buddym?

– Tak, musiałam jej powiedzieć, zaraz jak to się stało. Obawiałam się, że jeśli nie powiem, a ona i tak się dowie jakimś tajemniczym sposobem, będzie to dla mnie blamaż. Więc napisałam jej o wszystkim, a ona w odpowiedzi przysłała wstrętny list, w którym z poczuciem tryumfu stwierdzała: „Teraz przypuszczam, że będziesz musiała tu wrócić, wrócić do kraju, który porzuciłaś". Ośmieliła się to insynuować! Więc skorzystałam z tego, że mi się podłożyła – znasz mnie na tyle – i odpisałam jej, że jestem tu bezgranicznie szczęśliwa i że moja noga już nigdy nie postanie na jej żałosnej wysepce. A potem – nigdy ci tego nie mówiłam, bo mnie samą to żenowało – jak już napisałam ten list, poczułam okropne wyrzuty sumienia i zaczęłam jej wysyłać różne rzeczy: wiesz, przysmaki z delikatesów na Beverly Hills, najróżniejsze sery, wyszukane artykuły spożywcze w butelkach i w słoikach. Prawdę mówiąc, żyjąc w kraju dobrobytu, z trudem mogłam sobie na nie pozwolić! A byłam tak bezgranicznie głupia, że nawet przez chwilę nie pomyślałam, jak bardzo jestem nietaktowna! A jej w to graj! To znaczy, najpierw pozwoliła mi to wszystko przysyłać przez dłuższy czas – i przypuszczam, że z tych rzeczy korzystała, a potem dosłownie mnie znokautowała. Zapytała, czy nie słyszeliśmy w Ameryce, że wojna już się dość dawno skończyła i że akcja „Paczki dla Anglii" została odwołana?

– Przyjemniaczka!

– Nie, Geo, w gruncie rzeczy Nan naprawdę mnie kocha. Ona tylko chce, żebym patrzyła na świat jej oczyma. Wiesz, jest ode mnie o dwa lata starsza – to stanowiło ogromną różnicę, kiedy byłyśmy dziećmi. Zawsze uważałam ją za coś w rodzaju drogi – w tym sensie, że dokądś prowadzi. Przy niej nigdy się nie zagubię... Rozumiesz, co próbuję przez to powiedzieć?

– Nie.

– Mniejsza o to. Druga rzecz, która mnie przeraża na myśl o powrocie – to przeszłość. Która zresztą też wiąże się z Nan. Powrót do miejsca, w którym zboczyło się z drogi, rozumiesz?

– Nie bardzo.

– Ależ, Geo – przeszłość! Chyba nie chcesz udawać, że nie wiesz, co to słowo znaczy?

– Przeszłość to coś, czego już nie ma.

– Ależ kochanie, jak możesz być taki uparty.

– Nie, Charley, ja tak naprawdę uważam. Przeszłości nie ma. Ludzie udają, że to nieprawda, i pokazują eksponaty w muzeach. Ale to nie przeszłość. Nie znajdziesz w Anglii przeszłości. Ani gdzie indziej, jeśli chodzi o ścisłość.

– Rzeczywiście jesteś uparty!

– Posłuchaj, a czemu najpierw nie pojedziesz tam na rekonesans? Odwiedź Nan, jeśli masz ochotę. Ale, na litość boską, do niczego się nie zobowiązuj.

– Nie, jeśli mam w ogóle wracać, muszę wrócić na dobre.

– Ale dlaczego?

– Mam już dość niezdecydowania. Tym razem muszę spalić łódź. Wydawało mi się, że to zrobiłam, kiedy tu przyjechałam z Buddym. Ale tym razem muszę...

– Och, Charley, zlituj się!

– Wiem, że tam się wszystko pozmieniało. Wiem, że wiele rzeczy będzie mnie denerwować. Wiem, że będzie mi brak tutejszych supermarketów, różnych ułatwiających życie urządzeń. Zapewne będę się często przeziębiała po latach przeżytych w tutejszym klimacie. I przypuszczam, że masz rację – będę nieszczęśliwa, mieszkając z Nan. Ale nic na to nie poradzę. Przynajmniej, jak już tam się znajdę, będę wiedziała, gdzie jestem.

– W życiu się nie spotkałem z równie bezsensownym przypadkiem masochizmu!

– Tak, wiem, że to wygląda na masochizm. I może nim jest! Czy nie sądzisz, że masochizm to nasza forma patriotyzmu! Albo może na odwrót? Ale to śmieszne. Kochanie, może należy nam się jeszcze po małym koktajlu? Wypijmy za masochizm starej Anglii!

– Nie, nie kochanie. Pora do łóżek.

– Geo, ty wychodzisz?

– Muszę, Charley.

– Ale kiedy cię znowu zobaczę?

– Niedługo. Chyba że natychmiast wybierasz się do Anglii.

– Och, przestań mi dokuczać! Wiesz świetnie, że nie tak zaraz. Potrwa wieki, zanim się pozbieram. Być może nawet wcale nie pojadę. Na samą myśl o pakowaniu, o pożegnaniach, o związanych z tym zabiegach robi mi się słabo. Nie, chyba wcale nie pojadę...

– Jeszcze o tym porozmawiamy. Niejeden raz... Dobranoc, Charley droga.

Ona wstaje, kiedy George pochyla się, żeby ją pocałować. Wpadają na siebie i o mało co nie lądują oboje na podłodze. Geo podtrzymuje Charlotte, sam chwiejąc się na nogach.

– Nie mogłabym ciebie zostawić, Geo.

– Więc nie zostawiaj.

– Jak ty to mówisz! Nie wierzę, że robi ci różnicę, czy wyjadę, czy zostanę.

– Oczywiście, że robi.

– Naprawdę?

– Naprawdę.

– Geo?

– Tak, Charley?

– Myślę, że Jim nie chciałby, żebym cię tu zostawiła samego.

– Więc mnie nie zostawiaj.

– Nie, mówię całkiem poważnie. Pamiętasz, jak pojechaliśmy we dwoje do San Francisco? To było chyba we wrześniu zeszłego roku, zaraz po waszym powrocie z Anglii.

– Tak.

– Jim nie mógł wtedy z nami pojechać. Nie pamiętam już dlaczego. Doleciał do nas następnego dnia. W każdym razie kiedy ty i ja wsiadaliśmy do samochodu, Jim coś do mnie powiedział. Coś, czego nigdy nie zapomnę... Czy ja ci to kiedyś powtarzałam?

– Chyba nie. – (Mówiła mu to przynajmniej sześć razy, ale za każdym razem była bardzo pijana).

– Powiedział do mnie: Uważajcie na siebie.

– Naprawdę?

– Tak powiedział. Cytuję dosłownie. I wiesz, Geo, ja myślę, że jemu nie chodziło tylko o to, żebyśmy na siebie uważali. Chodziło mu o coś więcej.

– O co mogło mu chodzić?

– To było niespełna dwa miesiące, prawda? przed jego wyjazdem do Ohio. Jestem przekonana, że powiedział „uważajcie", ponieważ wiedział.

Kołysząc się na boki, patrzy na niego poważnie,

a nawet smutno, jakby go oglądała rybim okiem przez cały ten alkohol, który dziś wypiła.

– Czy ty też w to wierzysz, Geo?

– Skądże możemy wiedzieć, co on wiedział, Charley? A jeśli chodzi o to, żebyśmy na siebie uważali, możemy być pewni, że on by tego pragnął.

George kładzie jej ręce na ramiona i dodaje:

– Więc teraz powiedzmy sobie wzajemnie, że pora iść spać.

– Nie, zaczekaj... – Jest jak dziecko, które pytaniami próbuje odwlec pójście do łóżka. – Czy myślisz, że ten pub jest jeszcze na sprzedaż?

– Przypuszczam. To świetny pomysł! Dlaczego my nie mielibyśmy go kupić, Charley? Co ty na to? Moglibyśmy się upijać i w tym samym czasie zarabiać. To zabawniejsze od mieszkania z Nan!

– Kochanie, to cudowne! Czy myślisz, że naprawdę moglibyśmy kupić pub? Nie, ty tylko żartowałeś, prawda? Widzę to po twojej minie. Nie, nie zaprzeczaj. Ale możemy planować, tak jak ty z Jimem. On by się cieszył, że robimy wspólne plany, prawda?

– Na pewno... Dobranoc, Charley.

– Dobranoc, Geo, kochany...

Kiedy się żegnają, ona całuje go w usta. I bez uprzedzenia wsuwa mu język. Robiła to przedtem niejeden raz. To jeden z tych jej pijackich strzałów na ślepo, które, przynajmniej teoretycznie, raz na dziesięć tysięcy, mogą rzucić łączący ich stosunek z jednej orbity na inną. Czy kobiety nigdy nie zaprzestaną prób?

Nie. Ale też, ponieważ nie przestają, nauczyły się przegrywać. Kiedy po stosownej pauzie George zabiera się do wyjścia, Charlotte nie próbuje go zatrzymywać. Bez oporu godzi się z jego odejściem. On całuje ją w czoło. Ona jest teraz jak dziecko, które w końcu pogodziło się z kojcem.

– Śpij słodko.

George odwraca się od niej, otwiera drzwi, robi krok i nagle – łubu-du! – o mało nie spada na łeb, na szyję po stopniach – po wszystkich – och, aż strach pomyśleć – jeszcze dalej – dziesięć, pięćdziesiąt, sto milionów metrów w bezdenną czarną noc. Uratowało go tylko to, że mocno chwycił się klamki.

Odwraca się ociężale, z bijącym sercem, żeby się uśmiechnąć do Charlotty; ale ona na szczęście gdzieś się podziała. Nie widziała, jak się wygłupił. I całe szczęście, bo gdyby to widziała, znów by nalegała, żeby został na noc, a to by oznaczało, w najlepszym razie, tak późne śniadanie, że można by je wziąć za obiad, a to by oznaczało parę koktajli, a to by oznaczało sjestę i kolację, i jeszcze wiele, wiele koktajli... Tak to się zwykle odbywało.

Ale tym razem udało mu się uciec. Więc zamyka drzwi delikatnie, jak włamywacz, siada na najwyższym schodku, bierze głęboki wdech i przeprowadza sam ze sobą poważną rozmowę. Jesteś pijany. Ty, głupi staruchu, jak mogłeś sobie na to pozwolić? Teraz posłuchaj uważnie: zejdziemy sobie po tych stopniach bardzo powoli, a kiedy już będziemy na dole, pójdziemy prosto do domu, potem na górę i prosto do łóżka, nawet nie będziemy myli zębów. Zrozumiano? No, więc w drogę...

No i udało się.

Ale czym wytłumaczyć to, że po wejściu na mostek nad potokiem George nagle zawraca, chichocząc, po czym, jak dziecko, które umknęło dorosłemu – w tym wypadku rozsądkowi – rzuca się w dół ulicy i biegnie ze śmiechem w stronę oceanu?

Kiedy z Camphor Tree Lane wbiega w Las Ondas, dostrzega przypominające iluminatory zielone światła „Pod Sterburtą", które świecą mu na powitanie na skrzyżowaniu z szosą nadoceaniczną, naprzeciwko plaży.

„Pod Sterburtą" znajduje się w tym miejscu od najwcześniejszych dni osiedla. Bar, założony początkowo jako stołówka, serwował sąsiadom pierwsze piwa po zniesieniu prohibicji, a jego lustro zaszczycał niekiedy swoim odbiciem Tom Mix. Ale najwspanialsze chwile przyszły potem. Pamiętne lato roku 1945! Wojna na ukończeniu. Zaciemnienie to wymówka pozwalająca trzymać pogaszone światła przy gangsterskich porachunkach. Napis nad barem głosił: W RAZIE CELNEGO TRAFIENIA NATYCHMIAST ZAMYKAMY, i miał być, oczywiście, dowcipem. Tymczasem po drugiej stronie zatoki, w głębokich wodach pod stromym wybrzeżem Palos Verdes, spoczywała prawdziwa japońska łódź podwodna, pełna prawdziwych trupów Japończyków, zatopiona bombami głębinowymi po tym, jak sama zatopiła kilka statków na oczach mieszkańców kalifornijskiego wybrzeża.

Rozsuwało się czarną zasłonę zaciemnienia i przepychało przez tłumek wokół baru, nie mogąc oddychać ani nic nie widząc z powodu dymu. Tutaj, w zupełnej izolacji, pośród zgiełku i ścisku, można było z poderwanym chłopakiem wywrzaskiwać wzajemnie pierwsze propozycje seksualne. Można było flirtować, ale nie walczyć – nie było nawet miejsca na to, żeby komuś dać w pysk. W tym celu trzeba było wychodzić na dwór. Ach, te krwawe bójki i rzyganie do rynsztoka! Ciosy padały na oślep, głowy leciały w tył, rozbijając się o zderzaki zaparkowanych samochodów. Potężne błotniki waliły lepiej, skuteczniej od ludzi. Syreny, zapowiadające przybycie policji, nagłe ataki portowych patroli. Dziewczyny wybiegające z domu, żeby zaciągnąć jakiegoś szczególnie zagrożonego pijanego młodzieńca na górę, w bezpieczne miejsce, ze śniadaniem podanym rano do łóżka jak radosny cud. Podróżujący autostopem mechanicy, którzy utknęli na tym skrzyżowaniu na wiele godzin, nocy, dni, aby kontynuować w końcu podróż z podkrążonymi oczyma, mendami, tryprem i bladym wspomnieniem tej czy tego, kto ich gościł.

A potem koniec wojny i szaleńcze jazdy w górę i w dół wybrzeża, na benzynie, która od razu przestała być racjonowana, rozrzucanie śladów pokojowych podbojów na całej trasie do Malibu. A potem miesiące na plaży w roku 1946. Zaczarowane plugastwo tych gorących nocy, kiedy całe wybrzeże pokrywały języki ognia, watry nieprzebranego nagiego plemienia barbarzyńców – każda grupa lub para osobno, nikomu nie wadząc, a wszystkie razem składały się na obozowe życie plemienia – pływanie po ciemku, smażenie ryb, taniec przy muzyce z radia, bezwstydne kopulacje na piasku. George i Jim (właśnie się poznali) przychodzili tam każdego wieczoru, ale to było jeszcze za rzadko, żeby zaspokoić gorzki apetyt pamięci, która teraz ogląda się łapczywie za tamtym wspaniałym późnym latem rozpusty.

Mechaników-autostopowiczów jest teraz mniej, większość się ustatkowała, wędrują ruchem wahadłowym między bazą rakietową a swoimi domami i żonami. Na plaży nie wolno rozpalać ognisk, z wyjątkiem wyznaczonych miejsc piknikowych, gdzie trzeba jeść siedząc na ławkach przy wspólnych stołach i wcale nie wolno się pieprzyć. Niemniej jednak, choć dawna świetność przygasła, to ostatnie osiedle Las Ondas cieszy się nadal (dzięki prześladowanym, ale niepokonanym starym bogom chaosu) zdecydowanie złą renomą. Ludzie szacowni instynktownie trzymają się od niego z dala. Ceny gruntu utrzymały się tu niskie. Motele są nowe, ale dla oszczędności pobudowane jeden koło drugiego i mocno zaniedbane – służą tym, co zatrzymują się na jedną noc. I choć węgielki z ognisk przyświecających orgiom barbarzyńców dawno już wdeptano w piach, ten odcinek wybrzeża nadal pokrywają śmieci, gangi uczniowskie nadal bazgrzą wielkie wulgarne słowa na podmurówce plaży i nadal łatwiej niż muszlę można tu znaleźć zużytą prezerwatywę.

Także i „Pod Sterburtą" przygasła dawna świetność i tylko taki stary bywalec jak George może jeszcze odnaleźć jej ostatni słaby przebłysk. Salę odarto z zakurzonych trofeów marynarki wojennej i z pożółkłych zbiorowych fotografii. Zaraz po Nowym Roku zapowiedziano bezczelnie renowację (czytaj: profanację) przed spodziewanym latem najazdem obcych przybyszów o bladych twarzach. Jest już nowa szafa grająca i telewizor zawieszony wysoko pod sufitem, tak żeby można było obrócić się nieco w prawo, wesprzeć głowę na ręce opierającej się o kontuar i wpatrywać się w ekran baranim wzrokiem. Temu właśnie zajęciu oddaje się większość klientów, kiedy wchodzi George.

Niepewnym krokiem, ale konsekwentnie, zmierza do swego ulubionego stolika w rogu, skąd nie widać ekranu telewizyjnego. Przy sąsiednim stoliku dwoje innych nieulegających hipnozie nonkonformistów (starsza para, należąca do ostatniej garstki pozostałych przy życiu niedobitków pierwszych kolonistów) uprawia własną wersję miłości: lekko zaczepny alkoholizm pozwala im, jak dzieciom, żyć w świecie zabawy. „Ty stara torbo", „ty stary fiucie", „ty stara dziwko", „ty stary alfonsie" – gniew bez resentymentu, urąganie bez jadu. Tak już to z nimi będzie aż do końca. Miejmy nadzieję, że się nigdy nie rozstaną, tylko umrą tej samej nocy o tej samej godzinie, w swych poplamionych piwem łóżkach.

Oczy George'a wędrują powoli po barze i zatrzymują się na człowieku, który siedzi samotnie przy końcu kontuaru, blisko wyjścia. Młody człowiek nie ogląda telewizji, jest natomiast skupiony na tym, co pisze na odwrocie koperty. Pisząc, uśmiecha się do siebie i palcem pociera o boczną ściankę swego pokaźnego nosa. To Kenny Potter.

Z początku George się nie rusza – nie reaguje. Ale potem zamyślony uśmiech powoli rozchyla mu usta. Wysuwa się do przodu, obserwując Kenny'ego z zapałem przyrodnika, który rozpoznał różową ziębę z wysokich gór na drzewie w miejskim parku. Po dłuższej chwili wstaje, przekrada się do baru i wspina na stołek obok Kenny'ego.

– Cześć – mówi.

Kenny odwraca się szybko, poznaje go, śmieje się głośno, gniecie kopertę i rzuca nią ponad kontuarem do kosza.

– Dobry wieczór.

– Dlaczegoś to zrobił?

– Tak sobie.

– Przeszkodziłem ci w pisaniu.

– To był tylko wiersz.

– I teraz świat już go nie pozna!

– Ja go pamiętam. Teraz tylko zapisywałem.

– Powiesz mi ten wiersz?

Ta propozycja przyprawia Kenny'ego o konwulsyjny śmiech.

– To wariactwo. To... – krztusi się swoim chichotem – to jak haiku!

– Dlaczego haiku miałoby być wariactwem?

– Musiałbym najpierw policzyć sylaby.

Ale nic nie wskazuje, żeby Kenny zabierał się w tej chwili do liczenia sylab. Wobec tego George mówi:

– Nie spodziewałem się ciebie spotkać w tym mateczniku. Przecież chyba mieszkasz na drugim końcu miasta, koło uniwersytetu?

– Zgadza się. Tylko czasem lubię się stamtąd wyrwać.

– Ale jak to się stało, że wybrałeś właśnie ten bar?

– Ach, to dlatego, bo ktoś mi powiedział, że pan tu często bywa.

– Chcesz powiedzieć, że przyjechałeś tu, żeby się ze mną spotkać? – pyta George, może zbyt pochopnie. W każdym razie Kenny odpowiada z drażniącym uśmieszkiem:

– Pomyślałem sobie, że zobaczę, co to za spelunka.

– Teraz to nic specjalnego. Ale kiedyś był to superlokal. Przyzwyczaiłem się tu przychodzić. Bo wiesz, mieszkam w pobliżu.

– Przy Camphor Tree Lane?

– A skąd ty to u diabła wiesz?

– Czy to miała być tajemnica?

– Nie, oczywiście, że nie! Od czasu do czasu odwiedzają mnie studenci. Oczywiście w sprawach naukowych... – George od razu orientuje się, że wygląda to na obronę i ma cholerne poczucie winy. Czy Kenny to zauważył? Uśmiecha się, ale uśmiechał się i przedtem. George dodaje niepewnym głosem:

– Zdaje się, że wiesz niepokojąco dużo o mnie i o moich przyzwyczajeniach. Dużo więcej, niż ja wiem o którymś z moich studentów...

– Myślę, że o nas niewiele ciekawego można by się dowiedzieć – broni się Kenny, patrząc zaczepnie, niemal wyzywająco. – Czego chciałby się pan o nas dowiedzieć?

– Och, zaraz coś wymyślę. Daj mi trochę czasu. Powiedz najpierw, co pijesz?

– Nic! – chichocze Kenny. – On mnie jeszcze nie zauważył.

Rzeczywiście, barmana pochłonęła transmisja z zapasów wolnoamerykanki.

– A czego byś się napił?

– Co pan będzie pił?

– Szkocką.

– Dobrze – przystaje Kenny tonem, który świadczy, że równie chętnie zgodziłby się na maślankę. George woła barmana, bardzo głośno, żeby tamten nie mógł udać, że nie słyszy, i składa zamówienie. Barman, kawał skurwiela, żąda od Kenny'ego dowodu. W końcu mają to za sobą. George ozięble mówi do barmana:

– Przecież już mnie chyba na tyle znasz? Czy sądzisz, że jestem idiotą, żeby stawiać alkohol nieletnim?

– Musimy sprawdzać – odpowiada niewzruszony

barman. Potem odwraca się od nich i odchodzi. George czuje krótki przypływ bezsilnej wściekłości. Wyszedł na durnia – w dodatku w obecności Kenny'ego.

Kiedy czekają na whisky, pyta:

– Jak się tu dostałeś? Samochodem?

– Nie mam samochodu. Lois mnie podwiozła.

– I gdzie się podziała?

– Myślę, że wróciła do domu.

George wyczuwa, że coś tu nie gra. Ale Kenny w każdym razie wcale się tym nie przejmuje. Dodaje mimochodem:

– Pomyślałem sobie, że przechadzka dobrze mi zrobi.

– Ale jak wrócisz do domu?

– Ach, dam sobie radę.

(Jakiś głos wewnętrzny mówi George'owi: Mógłbyś go zaprosić na noc do siebie. Powiedz mu, że go rano odwieziesz. Za kogo ty mnie u diabła bierzesz? – pyta go George. To była tylko nieśmiała sugestia, odpowiada głos).

Pojawia się whisky. George proponuje Kenny'emu:

– Posłuchaj, może byśmy usiedli tam, przy tym stoliku w rogu? Ta cholerna telewizja wciąż wpada mi w oko.

– Zgoda.

Byłoby miło, myśli George, gdyby ten młodzik nie był taki bierny. Ale nie można za dużo wymagać. Trzeba postępować zgodnie z ich regułami gry albo zrezygnować. Kiedy siadają naprzeciwko siebie, George mówi:

– Ciągle jeszcze mam tę temperówkę – i wyjąwszy ją z kieszeni uderza nią w stół, jakby polował na mendy.

Kenny śmieje się.

– A ja już swoją zgubiłem!

Teraz minęła może godzina. I obaj są pijani: Kenny w miarę, George mocno. Ale George upił się dobrze, tak, jak mu się to rzadko udaje. Próbuje samemu sobie objaśnić, na czym polega ten dobry sposób upicia. Cóż – mówiąc z grubsza – przypomina to Platona, przypomina dialog. Dialog między dwojgiem ludzi. Tak, ale nie platoński dialog z rozszczepianiem włosa na czworo, z obracaniem słów, z licytowaniem się znaczeniami; nie prześciganie się w fałszywej pokorze; nie debata na jakiś wybrany, smętny temat. Tu można rozmawiać o wszystkim i dowolnie często zmieniać temat. W istocie liczy się nie tyle przedmiot rozmowy, ile fakt, że w danych okolicznościach jest się z kimś razem. George nie potrafiłby sobie wyobrazić tego rodzaju dialogu z kobietą, ponieważ kobiety umieją rozmawiać tylko w kategoriach osobowych. Mężczyzna rówieśnik nadałby się, gdyby istniało między nimi jakieś przeciwieństwo, na przykład, gdyby tamten był Murzynem. Ty i twój partner dialogu musicie być na swój sposób przeciwstawni. Dlaczego? Ponieważ powinniście być postaciami symbolicznymi – na przykład w tym wypadku Młodością i Dojrzałością. Dlaczego musicie być symboliczni? Ponieważ dialog jest ze swej natury bezosobowy. Dialog to symboliczne spotkanie. Nie angażuje osobiście żadnej strony. Dlatego w dialogu można powiedzieć wszystko. Nawet najściślejszy sekret, najgłębsza tajemnica jawi się obiektywnie jako zwykła metafora albo przykład, który nie będzie użyty przeciw tobie.

George chętnie by to wszystko Kenny'emu wytłumaczył. Ale to zbyt skomplikowane, poza tym nie chce ryzykować takiej sytuacji, w której okaże się, że Kenny go nie rozumie. Najbardziej pragnie, żeby go Kenny zrozumiał, chce wierzyć, że Kenny zdaje sobie sprawę z tego, o czym się ten dialog toczy. I w tej chwili rzeczywiście wydaje się, że Kenny wie. George niemal fizycznie czuje otaczające ich i promieniujące pole elektryczne dialogu. W każdym razie on sam czuje się napromieniowany. Natomiast Kenny wygląda wprost przepięknie. Myśląc o nim, George używa sformułowania „promieniujący porozumieniem". Bo rzeczywiście to, co płynie ze strony Kenny'ego, nie jest czystą inteligencją ani urokiem na żądanie. Oto siedzą obaj i uśmiechają się do siebie – więcej, dużo więcej: obaj wręcz tryskają obopólną fascynacją.

– Powiedz coś – rozkazuje Kenny'emu.

– Czy muszę?

– Tak.

– Co mam powiedzieć?

– Cokolwiek. Coś, co ci się wydaje ważne, właśnie teraz.

– W tym cały kłopot. Nie wiem, co jest ważne, a co nie. Wydaje mi się, że całą głowę mam wypchaną rzeczami, które są nieważne – przynajmniej dla mnie.

– Na przykład...

– Proszę pana, nie chciałbym pana urazić... ale... tematy naszych zajęć...

– Nie podobają ci się?

– O Boże, mówiłem, że nie chcę pana urazić! Zresztą pańskie wykłady i tak są o niebo lepsze od innych – wszyscy tak uważamy. Pan próbuje jakoś umieścić te książki w aktualnym kontekście, tylko – i nie jest to pana winą – najczęściej jednak mamy wrażenie, że grzęźniemy w przeszłości. Na przykład dzisiaj, przy Titonosie. Niech mnie pan zrozumie, ja nie chcę wymazać przeszłości – być może kiedyś, jak będę starszy, przeszłość stanie się dla mnie czymś bardzo ważnym. Chcę tylko powiedzieć, że dla większości moich rówieśników przeszłość wcale się nie liczy. Jeśli mawiamy, że jest na odwrót, to tylko przez grzeczność. Dzieje się tak, przypuszczam, dlatego, że sami nie mamy własnej przeszłości – prócz rzeczy, o których wolelibyśmy zapomnieć, jak szkoła i okres, kiedy robiliśmy z siebie durniów...

– Cóż, dobrze. Mogę to zrozumieć. Przeszłość nie jest wam, na razie, potrzebna. Macie teraźniejszość.

– Ale to teraźniejszość jest naprawdę okropna! Mam po prostu wstręt do teraźniejszości... takiej, jaką mamy obecnie... to znaczy, oczywiście, z wyjątkiem dzisiejszego wieczoru... Z czego pan się śmieje?

– Dzisiejszy wieczór – *si*! Teraźniejszość – *no*!

George zachowuje się trochę za głośno. Paru klientów siedzących przy kontuarze odwraca głowę w jego stronę.

– Więc wypijmy za dzisiejszy wieczór! – I pije ceremonialnym gestem.

– Dzisiejszy wieczór – *si*! - Kenny śmieje się i pije.

– W porządku – mówi George. – Przeszłość – beznadziejna. Teraźniejszość – do niczego. Załóżmy. Ale jednemu nie możesz zaprzeczyć: jesteście przypisani do przyszłości. Jej nie da się zbyć.

– Myślę, że tak. Tylko ile nam jej zostało? Być może całkiem mało, jeśli wziąć pod uwagę rakiety...

– Śmierć.

– Śmierć?

– Tak powiedziałem.

– Ale dlaczego? Nie rozumiem.

– Powiedziałem: śmierć. To znaczy, czy dużo myślicie o śmierci?

– Co? Nie. Prawie wcale. A dlaczego?

– Przyszłość – w niej tkwi śmierć.

– Ach, tak. Tak – zapewne tu ma pan rację.

Kenny szczerzy zęby.

– Wie pan co? Myślę, że poprzednie pokolenia, przed naszym, dużo częściej niż my rozmyślały o śmierci. Chodzi mi o to, że chłopcy musieli się wściekać, kiedy wysyłano ich na jakąś staroświecką wojnę i zabijano, podczas gdy ich rodziny zostawały w domu i tryskały patriotyzmem. Ale to się już nie powtórzy. Tym razem wszyscy będziemy ofiarami.

– Ale i teraz będziecie mieć powód, żeby się wściekać na starszych. O te wszystkie dodatkowe lata, jakie im były dane, zanim wylecą w powietrze.

– Tak, to prawda, mogę to sobie wyobrazić. Może będę się wściekał. Może będę się wściekał na pana.

– Kenneth...

– Słucham pana?

– Pytam z pobudek czysto socjologicznych. Dlaczego ciągle zwracasz się do mnie per pan?

Kenny uśmiecha się przekornie.

– Przestanę, jeśli mi pan to zaproponuje.

– Niczego ci nie proponowałem. Pytałem tylko dlaczego?

– Dlaczego pana to drażni? I chyba zresztą was wszystkich?

– Masz na myśli nas, wapniaków?

George uśmiecha się wyrozumiale. Czuje jednak, że łączący ich stosunek symboliczny zaczyna mu się wymykać spod kontroli.

– Cóż, najprostsze wytłumaczenie brzmi tak: nie chcemy, żeby nam przypominano...

Kenny zdecydowanie potrząsa głową:

– Nie.

– Co chcesz przez to powiedzieć?

– Że pan jest inny.

– Czy to ma być komplement?

– Może. Chodzi o to, że ja lubię zwracać się do pana w ten sposób.

– Naprawdę?

– Nie podoba mi się to modne dzisiaj spoufalanie. Udawanie, że nie ma różnic między ludźmi... To tak, jak z tymi mniejszościami, o których pan dzisiaj opowiadał. Gdybyśmy, pan i ja, nie różnili się, co moglibyśmy sobie nawzajem dać? Jak moglibyśmy się zaprzyjaźnić?

On to rozumie – myśli zachwycony George.

– Ale dwaj młodzi mogą się zaprzyjaźnić, prawda?

– To jeszcze coś innego. Mogą, oczywiście, to jest w modzie. Ale pozostaje kwestia konkurencji, wchodzenia sobie w drogę. Wszyscy młodzi mają skłonność do współzawodnictwa, zdaje pan sobie z tego sprawę?

– Tak, raczej tak. Chyba że się kochają.

– Być może nawet wówczas. Może to właśnie stało się przyczyną...

Kenny nagle urywa. George go obserwuje, oczekując jakichś zwierzeń na temat Lois. Ale nadaremnie. Myśli Kenny'ego najwidoczniej biegną w zupełnie innym kierunku. Chłopak siedzi w milczeniu, z uśmiechem na ustach, a potem – tak, naprawdę – czerwieni się!

– To zabrzmi strasznie staroświecko, ale...

– Śmiało. Nie przejmuj się.

– Czasem bym chciał... wie pan, kiedy się czyta powieści wiktoriańskie... za nic bym nie chciał żyć w tamtych czasach... cholera... nie mogę tego powiedzieć!

Przerywa, wciąż zaczerwieniony i uśmiechnięty zarazem.

– Nie wygłupiaj się!

– Gdybym to powiedział, to by było takie staroświeckie, to by był koniec! Ale... chciałbym żyć w czasach, kiedy do własnego ojca mówiło się „panie".

– Czy twój ojciec żyje?

– Och, tak.

– Więc czemu nie mówisz do niego „panie"? Niektórzy synowie tak mówią, nawet w dzisiejszych czasach.

– Nie do mojego ojca. To nie w jego stylu. Poza tym nie mam z nim kontaktu. Opuścił nas przed paru laty... Cholera!

– Co się stało?

– Co mnie podkusiło, żeby panu o tym powiedzieć? Upiłem się, czy co?

– Nie bardziej niż ja.

– Więc jestem zaprawiony.

– Posłuchaj – jeśli to ci przeszkadza – zapomnijmy, że mi powiedziałeś.

– Ja nie zapomnę.

– Ależ tak, zapomnisz. Zapomnisz, jeśli ci powiem, żebyś zapomniał.

– Naprawdę?

– Możemy się założyć.

– Jeśli pan to mówi, to dobrze.

– Dobrze, proszę pana.

– Dobrze, proszę pana!

Kenny nagle promienieje. Jest naprawdę szczęśliwy – tak szczęśliwy, że zadowolenie z siebie wprawia go w zażenowanie.

– Wie pan, kiedy tu jechałem, to znaczy, kiedy myślałem, że może natknę się na pana dzisiejszego wieczoru, chciałem pana o coś zapytać. Teraz sobie przypomniałem, o co chodziło. – Jednym haustem wypija do dna. – Chodziło o doświadczenie. Wciąż nam mówią, jak będziesz starszy, nabierzesz doświadczenia. I to ma być takie wspaniałe. Co pan na to, proszę pana? Jak pan sądzi, czy doświadczenie naprawdę tak się przydaje?

– Jakiego rodzaju doświadczenie masz na myśli?

– No... miejsca, które się zwiedziło, ludzie, jakich się poznało. Sytuacje, przez które się przebrnęło i teraz wiadomo, jak sobie radzić, kiedy się powtórzą. Wszystko to, co ma sprawić, że na starość człowiek będzie mądrzejszy.

– Coś ci powiem, Kenny. Nie mogę odpowiadać za innych, ale jeśli o mnie chodzi, to wcale nie zmądrzałem. Oczywiście, to i owo mi się przydarzyło i jak zdarza mi się po raz kolejny, mówię sobie: „To znowu to". Ale to mi wcale nie pomaga. Moim zdaniem ja osobiście staję się coraz głupszy, głupszy i głupszy – taka jest prawda.

– Pan nie żartuje? Nie może pan tak uważać. Chce pan powiedzieć: głupszy niż w młodości?

– Dużo, dużo głupszy.

– Niech to licho. Więc doświadczenie do niczego się nie przydaje? Chce pan powiedzieć, że można się bez niego obejść?

– Nie. Tego nie powiedziałem. Chodzi mi tylko o to, że doświadczenia nie można wykorzystać. Ale jeśli tego nie spróbujesz, jeśli tylko uświadamiasz sobie, że to twoje własne doświadczenie, wtedy to może być cudowne.

– Chodźmy popływać – mówi nagle Kenny, jakby go znudziła cała ta rozmowa.

– Dobrze.

Kenny potrząsa głową i śmieje się niepohamowanie.

– Och, to fantastyczne!

– Co takiego?

– To był test. Myślałem, że pan blefuje, mówiąc o tym głupieniu. Więc powiedziałem sobie, że zaproponuję mu coś naprawdę zwariowanego, a jeśli się nie zgodzi, a nawet jeśli się zawaha, wtedy będę wiedział, że blefował. Nie ma mi pan za złe, że to powiedziałem?

– Dlaczego miałbym mieć za złe?

– Och, to też fantastyczne.

– No więc, skoro nie blefowałem, to na co czekamy?

– O rany, nie mogę!

Zrywają się, płacą, wybiegają z baru, na drugą stronę szosy. Kenny przesadza barierkę i zeskakuje w dół, dwa i pół metra, na plażę. Tymczasem George gramoli się na barierkę, dość nieporadnie. Kenny patrzy w górę, jego twarz wciąż jest widoczna w świetle ulicznej latarni.

– Niech pan mi stanie na ramionach.

George słucha go, ufny jak pijak, a Kenny, ze zwinnością tancerza, przytrzymując za łydki, spuszcza go w okamgnieniu na piasek. W trakcie tej operacji ich ciała ocierają się o siebie, krótko, ale intensywnie. Przerywa się pole elektryczne dialogu. Ich stosunek, bez względu na to, jaki teraz kształt przybierze, przestał być symboliczny. Odwracają się i biegną w stronę oceanu.

Latarnie pozostały daleko, daleko w tyle. Świecą, ale nie rzucają promieni – być może rozprasza je warstwa mgły. Ledwie widać fale oceanu. Ich czerń jest niezmiernie zimna i mokra. Kenny, pohukując, ściąga z siebie ubranie. George w ostatnim przebłysku rozwagi myśli o światłach latarni i o ewentualnych patrolach policyjnych, ale zaraz przestaje się wahać – nie jest w stanie, ta ucieczka z baru musi skończyć się w wodzie. Rozbiera się niezgrabnie, mocuje z majtkami. Kenny, całkiem goły, zanurzył się w wodzie i pruje przed siebie, niczym nieustraszony tubylczy wojownik atakuje fale. Podłoże jest bardzo twarde. George potyka się na kamieniach. Kiedy wreszcie udaje mu się przebrnąć i poczuć pod nogami piasek, Kenny śmiga obok niego, nie patrząc – wodnik pogrążony w swoim żywiole.

Dla George'a fale są dużo za duże. Wyglądają naprawdę groźnie, kiedy tak wzbijają się, czerń wynurza się z czerni, tajemniczo i strasznie bryzga, a potem załamuje w ogłuszającym plusku piany upstrzonej fosforem. George ma iskierki na całym ciele i aż śmieje się z zachwytu nad tymi brylantami. Śmiejąc się, krztusząc i dławiąc jest za bardzo pijany, żeby się bać. Słona woda, którą łyka, działa tak samo odurzająco jak whisky. Od czasu do czasu miga mu wspaniałe ciało Kenny'ego, przeszywające skłębioną otchłań. A potem, skupiony na własnym rytuale oczyszczenia, George staje niepewnie, z rozłożonymi rękoma i przyjmuje oszałamiający chrzest przyboju. Oddając mu się bez zastrzeżeń, pozwala z siebie zmyć myśli, mowę, nastrój, pożądanie, kolejne jaźnie, całe żywoty; powtarza ten rytuał raz za razem, coraz czystszy, coraz wolniejszy – i coraz go mniej. Czuje się całkiem szczęśliwy sam – wystarczy mu świadomość, że tylko Kenny i on mają do swojej wyłącznej dyspozycji cały ten żywioł. Fale, łoskot i noc zostały stworzone dla ich uciechy. Dwieście metrów dalej świecą nadbrzeżne latarnie, samochody śmigają w obu kierunkach po autostradzie, rzucając długie wiązki świateł. Na pogrążonych w mroku wzgórzach można dostrzec światła w oknach suchych domów, w których trzeźwi ludzie z poważnymi minami kładą się do suchych łóżek. Ale George i Kenny uciekli z suchego i trzeźwego świata – przedarli się przez granicę do świata wodnego, pozostawiając ubrania w charakterze zapłaty za cło.

A teraz, nagle, pojawia się wielka, apokaliptycznie wielka fala i George zaraz pozbywa się swego mistycyzmu, i stoi, nagi i mały, przed jej przytłaczającą obecnością, pod samym skrajem jej burzliwego nadmiaru, pod bezpośrednią groźbą lawiny. Próbuje dać nura w falę – nawet teraz nie odczuwa prawdziwego strachu – ale to fala chwyta go, obraca nim raz po raz, daje mu klapsa i wykopuje go na powierzchnię, która może być równie dobrze górą i dołem, i bokiem – George sam już nie wie.

A teraz Kenny taszczy go, bezwładnego. Kenny wziął George'a pod pachy; zaśmiewa się i mówi tonem niańki:

– Dość tego dobrego, wystarczy na dziś.

A George, opity wodą, wzdycha:

– Ze mną wszystko w porządku. – I chce wrócić prosto do wody. Kenny jednak mówi:

– Ale ze mną nie, trzęsę się z zimna.

I jak niańka wyciera George'a swoją własną koszulą, nie jego, póki George nie każe mu przestać, bo pieką go plecy. Stosunek niańka–dziecko staje się w tej chwili tak sugestywny, że George czuje, iż mógłby z miejsca zwinąć się w kłębek i zasnąć, skulony do rozmiarów dziecka w obliczu wielkości Kenny'ego. Bo ciało Kenny'ego jakby niepomiernie urosło, odkąd wyszli z wody. Wszystko w nim jest jakby większe: białe zęby wyszczerzone w uśmiechu, szerokie ociekające wodą ramiona, wysoki i szczupły kadłub obciążony zwisającą płcią oraz długie nogi, które właśnie zaczynają drżeć.

– Czy możemy pójść do pana? – pyta Kenny.

– Oczywiście. A dokąd by?

– Dokąd by? – powtarza Kenny i bardzo go to bawi.

Bierze swoje ubranie i nagi rusza w stronę autostrady i świateł.

– Czyś ty zwariował? – woła za nim George.

– Co się stało? – pyta z uśmiechem Kenny.

– Chcesz tak iść do domu? Czyś ty oszalał? Ludzie wezwą gliny!

Kenny, w świetnym humorze, tylko wzrusza ramionami.

– Nikt nas nie zobaczy. Jesteśmy niewidzialni, nie wiedział pan o tym?

Ale w końcu się ubiera, George robi to samo. Kiedy ruszają w górę plaży, Kenny obejmuje George'a za szyję.

– Wie pan, co panu powiem? Nie powinien pan nigdy wychodzić sam. Może pan popaść w prawdziwe tarapaty.

Spacer do domu nieco otrzeźwia George'a. Zanim dotrą do celu, przestaje w nich widzieć dwóch szalonych wodników, tylko raczej podstarzałego profesora z mokrą głową, który sprowadza do domu w środku nocy kompletnie przemoczonego studenta. Staje się ostrożny, nawet nieco szorstki.

– Łazienka jest na górze. Poszukam dla ciebie jakichś ręczników.

Kenny z miejsca reaguje na ten oficjalny ton.

– A pan nie pójdzie pod prysznic? – pyta uprzejmie, z cieniem zawodu w głosie.

– Mogę to zrobić później. Żałuję, że nie mam ubrań twojego rozmiaru. Będziesz się musiał opatulić w koc, podczas gdy rzeczy położymy na kaloryferze. To dość powolna metoda, ale obawiam się, że nic lepszego nie wymyślimy.

– Niech pan posłucha... Nie chciałbym sprawiać kłopotu. Może ja lepiej od razu sobie pójdę?

– Nie wygłupiaj się. Dostałbyś zapalenia płuc.

– Ubranie wyschnie na mnie. Nic mi nie będzie.

– Bzdura! Chodźmy na górę, pokażę ci, gdzie co leży.

Sprzeciw George'a najwyraźniej ucieszył Kenny'ego. W każdym razie strasznie hałasuje pod prysznicem, nie tyle zresztą śpiewa, ile raczej wydaje serię pohukiwań. Z pewnością obudzi sąsiadów, myśli George, ale kto by się tym przejmował? George znowu nabrał animuszu – jest podniecony, rozbawiony, ożywiony. Rozbiera się szybko w sypialni, wkłada białą podomkę z grubego aksamitu, potem zbiega na dół, nastawia czajnik i robi kanapki z tuńczyka i pomidora na chlebie razowym. Zdążył je ułożyć na tacy w stołowym w chwili, kiedy Kenny schodzi na dół, dziwacznie okutany w koc, niczym rozbitek uratowany z katastrofy na morzu.

Kenny nie chce ani kawy, ani herbaty, mówi, że wolałby napić się piwa. Więc George wyjmuje dla niego puszkę z lodówki, a sam nierozważnie nalewa sobie dużą porcję whisky. Kiedy wraca, widzi, że Kenny rozgląda się po pokoju, wyraźnie zafascynowany.

– Mieszka pan tutaj całkiem sam?

– Tak – odpowiada George, po czym dodaje z nutką ironii: – Czy to cię dziwi?

– Nie. Któryś z kolegów wspominał mi o tym.

– Prawdę mówiąc, mieszkałem tutaj razem z przyjacielem.

Ale Kenny nie okazuje najmniejszego zainteresowania losem przyjaciela.

– Nie ma pan nawet kota albo psa czy innego zwierzaka?

– Uważasz, że powinienem? – pyta George nieco agresywnie. Kenny pewnie myśli sobie: Biedny stary, nie ma kogo kochać.

– Do licha, nie! Czyż Baudelaire nie powiedział, że zwierzęta potrafią zmieniać się w demony i owładnąć życiem człowieka?

– Coś w tym rodzaju. Ten mój przyjaciel miał wprawdzie mnóstwo zwierząt i wcale nie owładnęły one naszym życiem. Ale, oczywiście, inaczej to wygląda, gdy wchodzą w grę dwie osoby. Często mawialiśmy, że żaden z nas nie trzymałby zwierząt, gdyby drugiego zabrakło...

Nie. Kenny'ego nie interesuje to w najmniejszym stopniu. W samej rzeczy skoncentrował się na potężnym kęsie kanapki. Więc George pyta:

– Smaczne?

– Mowa!

Kenny z pełną gębą uśmiecha się do George'a, po czym przełyka i dodaje:

– Wie pan, co panu powiem? Uważam, że odkrył pan tajemnicę doskonałego życia!

– Ja? – George właśnie wypił ćwierć szklanki whisky, żeby spłukać skurcz, jaki go chwycił, kiedy mówił o Jimie i o zwierzętach. Teraz czuje, jak alkohol znów obejmuje go w swoje władanie. Owszem, przyjemny stan, ale niepokoi go tempo, w jakim to się odbywa.

– Nie zdaje pan sobie sprawy, ilu moich rówieśników marzyłoby o tym, co pan tutaj ma. No, bo czego więcej można żądać? Chodzi mi o to, że nie musi pan słuchać niczyich poleceń. Może pan sobie pozwolić na każde szaleństwo, jakie panu przyjdzie do głowy.

– I to jest twój ideał doskonałego życia?

– Oczywiście!

– Naprawdę?

– O co panu chodzi? Nie wierzy mi pan?

– Ja tylko niezbyt rozumiem: skoro tak ci zależy na samotnym życiu, jak do tego pasuje Lois?

– Lois? A co ona ma z tym wspólnego?

– Posłuchaj, Kenny, nie chciałbym być wścibski, ale wyobrażałem sobie, nie wiem czy słusznie, że ty i ona, że tak powiem, planujecie...

– Małżeństwo? Nie. Nie ma mowy.

– Tak?

– Ona mówi, że nie wyszłaby za białego. Mówi też, że nie umie traktować poważnie Amerykanów. Uważa, że nic z tego, co robimy, nie ma większego sensu. Chce wrócić do Japonii i być nauczycielką.

– Ale sama jest obywatelką amerykańską?

– Och, tak. Jest Nisei. Ale jak tylko zaczęła się wojna, całą jej rodzinę zapakowano do obozu dla internowanych w górach Sierra Nevada. Jej ojciec musiał sprzedać interes za psie pieniądze, oddać go, praktycznie, jakimś hienom, co rabowały japońskie majątki i odgrażały się, że pomszczą Pearl Harbor. Lois była wtedy małą dziewczynką, ale takich rzeczy się nie zapomina. Ona mówi, że ich wszystkich traktowano jak wrogich cudzoziemców – nikt się nie zastanawiał, po czyjej są stronie. Ona mówi, że tylko Murzyni zachowywali się wobec nich przyzwoicie. I garstka pacyfistów. O rany, ona na pewno ma powody, żeby nas nie znosić! Co nie znaczy, że to robi. Ona po prostu umie dostrzec we wszystkim coś zabawnego.

– A ty co do niej czujesz?

– Och, bardzo ją lubię.

– I ona ciebie lubi, prawda?

– Przypuszczam. Tak, lubi. I to bardzo.

– I nie chciałbyś się z nią ożenić?

– Tak, myślę, że chciałbym. Gdyby zmieniła swoje nastawienie. Ale wątpię, czy zmieni. A poza tym wcale mi nie śpieszno do żeniaczki. Chciałbym jeszcze przedtem zrobić parę rzeczy... – Tu Kenny przerywa, patrząc na George'a ze swym drażniącym, przenikliwym uśmieszkiem. – Wie pan, co sobie myślę?

– Co sobie myślisz?

– Nie wierzę, że tak bardzo pana interesuje, czy się ożenię z Lois, czy nie. Myślę, że chciał mnie pan zapytać o coś zupełnie innego. Tylko nie jest pan pewien, jak zareaguję.

– O co chcę cię zapytać?

Nareszcie wygląda to na prawdziwy flirt, z obu stron. Pod rozluźniającym działaniem rozmowy i piwa koc Kenny'ego zsunął się, obnażając ramię i pierś, przez co zmienił się w klasyczny grecki strój, w chlamidę młodego ucznia – niewątpliwie ulubieńca jakiegoś filozofa. Chłopak jest w tej chwili niezwykle, wprost niebezpiecznie uroczy.

– Chce pan wiedzieć, czy Lois i ja... czy już to robiliśmy.

– A robiliście?

Kenny śmieje się tryumfalnie.

– Więc miałem rację!

– Może. A może nie... No więc?

– Tak. Raz.

– Dlaczego tylko raz?

– To było dawno temu. Pojechaliśmy do motelu. Koło plaży, właściwie niedaleko stąd.

– To dlatego przyjechałeś dziś w te okolice?

– Tak, po części. Próbowałem ją namówić, żeby pojechać tam jeszcze raz.

– I o to się posprzeczaliście?

– Kto powiedział, żeśmy się posprzeczali?

– Pozwoliłeś, żeby sama pojechała do domu, prawda?

– No, tak, ale to dlatego... Nie, ma pan rację, ona nie chciała. Już za pierwszym razem denerwował ją ten motel, i słusznie. Recepcja, urzędnik hotelowy, księga meldunkowa – to wszystko, czemu trzeba się poddać. A oni oczywiście świetnie wiedzą, co jest grane. To wszystko sprawia, że cała rzecz nabiera niepotrzebnie znaczenia, staje się staromodna, jak jakiś straszny grzech. I jeszcze sposób, w jaki na człowieka patrzą! Dziewczyny bardziej się tym przejmują niż my...

– I teraz ona powiedziała: nigdy więcej?

– Nie, nie jest tak źle. Rozumie pan, ona nie jest temu przeciwna. W zasadzie nie. Przeciwnie, ona jest całkiem... mniejsza o to, w każdym razie wydaje mi się, że wszystko będzie dobrze. Musimy się tylko rozejrzeć...

– Za jakimś miejscem, które by nie było tak publiczne i krępujące?

– To by znacznie ułatwiło sprawę, oczywiście.

Kenny uśmiecha się, ziewa, przeciąga się. Chlamida zsuwa się z drugiego ramienia. Naciąga ją z powrotem wstając, przez co grecki strój znów jest kocem, a on sam niezgrabnym młodym dwudziestowiecznym Amerykaninem, który w komiczny sposób stracił ubranie.

– Proszę pana, zrobiło się strasznie późno. Będę musiał iść.

– Dokąd, jeśli można spytać?

– No cóż, na drugi koniec miasta.

– A czym?

– Chyba mogę pojechać autobusem?

– Zaczną kursować najwcześniej za dwie godziny.

– Niemniej jednak...

– Dlaczego nie miałbyś u mnie przenocować? Odwiozę cię jutro.

– Naprawdę, nie sądzę...

– Jak zaczniesz się o tej porze wałęsać po okolicy, teraz, kiedy bary już pozamykane, zatrzymają cię policjanci i spytają, czego tu szukasz. A nie jesteś zupełnie trzeźwy, pozwól, że to tak ujmę. Mogą cię nawet przymknąć.

– Naprawdę, proszę pana, dam sobie radę.

– Myślę, że jesteś niespełna rozumu. Ale porozmawiamy o tym jeszcze za chwilę. Najpierw usiądź. Chciałbym ci coś powiedzieć.

Kenny siada posłusznie, rezygnując z dalszych protestów. Być może jest ciekaw, jakie będzie następne posunięcie George'a.

– Posłuchaj mnie teraz bardzo uważnie. Chciałbym złożyć pewne oświadczenie. Nie musisz się do niego ustosunkowywać. Jeśli wolisz, możesz uznać, że cię to w ogóle nie dotyczy. Czy to jasne?

– Tak, proszę pana.

– Pewna kobieta mieszka niedaleko – moja bardzo dobra przyjaciółka. Jemy razem kolację raz na tydzień, a nawet częściej. Na przykład dziś jedliśmy. Jej jest wszystko jedno, jaki dzień wybiorę. Dlatego postanowiłem – tylko pamiętaj, że to nie ma nic wspólnego z tobą, nie musi mieć – otóż postanowiłem, że od dzisiaj będę chodził do niej na kolację co tydzień, zawsze w ten sam dzień tygodnia. Regularnie, w ten sam dzień tygodnia. Konkretnie – od dziś za tydzień. Czy to jest jasne? Nie, nie odpowiadaj. Słuchaj dalej, bo dopiero dochodzę do sedna. W te dni, kiedy będę na kolacji u mojej przyjaciółki, nigdy, w żadnym wypadku nie wrócę do domu przed północą. Czy to jest jasne? Teraz posłuchaj. Nigdy nie zamykam domu na klucz, bo i tak każdy może się tu dostać, wystarczy wybić szybę w oszklonych drzwiach. Na górze, w moim gabinecie, zauważyłeś zapewne sofę? Zawsze leży na niej świeża pościel, tak na wszelki niespodziewany wypadek, gdybym miał nieoczekiwanego gościa, na przykład ciebie dzisiejszej nocy... Teraz słuchaj uważnie! Gdyby ktoś używał tej sofy, kiedy mnie nie będzie, a potem wygładził pościel, nic bym o tym nie wiedział. A gdyby kobieta, która u mnie sprząta, coś zauważyła, oddam po prostu bieliznę do prania; pomyśli, że miałem gościa i zapomniałem jej o tym powiedzieć... No, dobrze! Powziąłem postanowienie i powiedziałem ci o nim. Tak, jak mógłbym ci powiedzieć, że postanowiłem w określony dzień tygodnia podlewać ogródek. Podałem ci też kilka faktów na temat domu. Możesz je sobie zapamiętać. Albo możesz o nich zapomnieć. To wszystko.

George patrzy na Kenny'ego. Kenny uśmiecha się do niego niepewnie. Ale jest – tak, przynajmniej troszeczkę – zażenowany.

– A teraz nalej mi jeszcze whisky.

– Dobrze, proszę pana.

Kenny ochoczo zrywa się z krzesła, zadowolony, że przerywa się napięcie. Bierze szklankę George'a i idzie do kuchni. George woła za nim:

– Nalej też sobie!

Kenny zagląda do pokoju, szczerząc zęby:

– Czy to rozkaz?

– Tak, u licha, rozkaz!

Pewnie uważasz, że jestem starym zbereźnikiem?

Kiedy Kenny był zajęty w kuchni, George czuł, że wchodzi w nową fazę. I teraz, kiedy Kenny znów siada na krześle, ma przed sobą, chociaż jeszcze nie zdaje sobie z tego sprawy, przemienionego George'a: George'a groźnego, który wypowiada się głośno i wyraźnie, w jego słowach czai się groźba. George'a inkwizytora, który siedzi w majestacie prawa i niedługo może wyda wyrok. George'a proroka, który być może za chwilę będzie mówił językami.

Jest to stan zupełnie inny od tamtego pijaństwa „Pod Sterburtą". Kenny i George wyszli z fazy symbolicznego dialogu; są teraz w fazie bardziej bezpośredniej komunikacji. Ale zarazem, paradoksalnie, wydaje się, że Kenny jest od niego dalej, nie bliżej – wycofał się daleko poza potencjalny zasięg pola elektrycznego. Prawdę mówiąc, George widzi go tylko od czasu do czasu, ponieważ w pokoju zrobiło się przeraźliwie jasno i twarz Kenny'ego rozmywa się w blasku. Ponadto George ma w uszach głośny szum, tak głośny, że nie wie, czy Kenny odpowiedział na jego pytanie, czy nie.

– Nie musisz nic mówić – informuje Kenny'ego George (uwzględniając w ten sposób obie ewentualności) – ponieważ przyznaję, o, jeszcze jak przyznaję, że jestem starym zbereźnikiem. Tak jak dziewięćdziesiąt dziewięć procent starych facetów. To znaczy, oczywiście, jeśli się upierać przy tak ponurym słownictwie. Nie protestuję przeciwko temu, że mnie tak nazwałeś albo nie nazwałeś. Protestuję przeciwko samemu podejściu do sprawy – i robię to ze względu na ciebie, a nie na siebie... No bo popatrz: sprawy i tak wyglądają ostatnio nie najlepiej, popadliśmy w niezłe tarapaty, semantycznie i nie tylko, więc po co się jeszcze wikłać w te ponure określenia. Chodzi o to: czemu te nasze poplątane życia mają służyć? Czy mamy je spędzić na rozpoznawaniu się nawzajem z przewodnikiem w ręku, jak turyści w galerii portretów? Czy może mamy oczekiwać na jakiś sygnał, choćby zniekształcony, zanim będzie za późno? Odpowiedz mi na to w tej chwili!... Bardzo to ładnie i przyjemnie, że wy, młodzi, przychodzicie do mnie na uniwersytet i mówicie mi, że jestem rozważny. Na miłość boską, rozważny! Nie umiecie wymyślić czegoś lepszego? Nie świta wam przypadkiem, co muszę czuć ja, spragniony rozmowy?... Pytałeś mnie o doświadczenie. I ja ci powiedziałem. Doświadczenie niczemu nie służy. A jednocześnie, na całkiem inny sposób, mogłoby służyć. Gdybyśmy tylko nie byli takimi strasznymi głupcami, świętoszkami i tchórzami. Tak, ty także, mój chłopcze. I nawet nie próbuj zaprzeczać! To, co powiedziałem przed chwilą, o sofie w gabinecie – to cię zaszokowało. Ponieważ postanowiłeś, że cię zaszokuje. Z zasady nie chciałeś zrozumieć moich motywów. Na Boga, czy ty tego nie widzisz? Ta sofa – to, co ta sofa znaczy – to jest właśnie doświadczenie!... No, dobrze, nie mam do ciebie pretensji. Byłoby cudem, gdybyś naprawdę zrozumiał. Mniejsza o to. Zapomnij o całej sprawie. Tu jestem ja, tam jesteś ty, w tym cholernym kocu. Dlaczego go nie zdejmiesz, na miłość boską? Co mi kazało to powiedzieć? Przypuszczam, że także i tym razem źle mnie zrozumiesz. Jeśli tak, gwiżdżę na to. Chodzi o to, że tu jestem ja, a tam jesteś ty – i przynajmniej w tej chwili nikt nam nie będzie przeszkadzał. Taka okazja może się już nigdy nie powtórzyć. Rozumiem to dosłownie! A czasu jest bardzo, bardzo mało. W porządku, wyłóżmy karty na stół. Dlaczego znajdujesz się w tej chwili w tym pokoju? Ponieważ chciałeś, żebym ci coś powiedział! Oto istotny powód, dla którego przemierzyłeś całe miasto. Masz podstawy, żeby sądzić, że zrobiłeś to po to, by zaciągnąć Lois do łóżka. Zauważ, nie powiedziałem ani słowa przeciwko Lois. To naprawdę piękny aniołek. Ale nie nabierzesz starego zbereźnika, on nie popada w sentymenty na hasło „Młoda miłość", on świetnie wie, jaka jest jej prawdziwa wartość: spora, ale nie największa. Nie, mój drogi Kennecie. Przybyłeś tutaj dzisiejszego wieczoru po to, żeby się ze mną zobaczyć, bez względu na to, czy zdajesz sobie z tego sprawę, czy nie. Jakąś częścią swojej istoty wiedziałeś, że Lois odmówi ponownego pójścia do tego motelu i że to da ci pretekst, żeby odesłać ją do domu, a samemu wylądować tutaj. Przypuszczam, że biedna dziewczyna czuje się z tego powodu fatalnie i że w tej chwili wypłakuje się w poduszkę. Musisz być dla niej bardzo dobry, jak się następnym razem spotkacie... Ale zbaczam z właściwego tematu. A chodzi o to, że przybyłeś tu, żeby mnie spytać o coś, co jest naprawdę ważne. Więc czemu się tego wstydzisz, czemu zaprzeczasz? Widzisz, przejrzałem cię na wskroś. Wiem dokładnie, czego chcesz. Chcesz, żebym ci powiedział, co wiem. Och, Kennecie, Kennecie, niczego bardziej nie pragnę. Na wszystkich świętych, chciałbym ci powiedzieć. Ale nie mogę. Po prostu nie mogę. Ponieważ, czy ty tego nie rozumiesz, to, co wiem, równa się temu, czym jestem. A tego nie mogę ci powiedzieć. Sam się w tym musisz zorientować. Jestem książką, którą musisz przeczytać. Książka sama ci się nie przeczyta. Ona nawet nie wie, o czym jest. I ja nie wiem, o czym jestem... Ty mógłbyś wiedzieć, o czym jestem. Mógłbyś. Ale ci na tym nie zależy. Posłuchaj, spośród wszystkich chłopaków, jakich poznałem na uniwersytecie, tylko ty jeden mógłbyś. Dlatego cała ta okazja tak się beznadziejnie marnuje. Zamiast spróbować się dowiedzieć, dopuszczasz się niewybaczalnej trywialności, mówiąc „ten stary zbereźnik", i dzisiejszy wieczór, który mógłby się stać czymś najcenniejszym i niezapomnianym w twoim młodym życiu, zamieniasz we flirt! Nie lubisz tego słowa, prawda? Ale to jest właśnie to. Oto olbrzymia tragedia naszych czasów. Flirt zamiast dupczenia, jeśli wybaczysz ordynarne słowo. Stać was tylko na flirt, na koc opadający z ramienia i na uskarżanie się na motele. I na przegapienie jedynej rzeczy, która by mogła – nie mówię tego na wiatr – przeobrazić całe twoje życie...

Przez chwilę twarz Kenny'ego rysuje się całkiem wyraźnie. Chłopak śmieje się olśniewająco. Ale zaraz uśmiech pęka i rozszczepia się, jeśli można tak powiedzieć, w świetliste tęcze. Tęcze płoną. George czuje się oślepiony. Zamyka oczy. A w uszach brzmi mu ryk wodospadu Niagara.

Pół godziny, może godzinę później – ale w każdym razie nie więcej – George mruga oczyma i budzi się.

Wciąż jest noc. Ciemno. Ciepło. Łóżko. Jestem w łóżku! Zrywa się, opiera na łokciu. Zapala nocną lampkę. Robi to ręką; ręką w rękawie; rękawie piżamy. Jestem w piżamie! Dlaczego? Jak?

A gdzie jest on?

George gramoli się z łóżka; w głowie mu się kręci, ma mdłości, ze strachu całkiem się budzi. Idzie chwiejnym krokiem do dużego pokoju. Nie – chwileczkę. Do lampy ktoś przypiął kartkę:

„W końcu pomyślałem, że lepiej się urwę. Lubię włóczyć się nocą. Gdyby mnie gliny capnęły, nie powiem im, gdzie byłem – słowo. Nawet, gdyby mi wykręcali rękę.

Ten wieczór był wspaniały. Powtórzmy go, dobrze?

Czy też nie wierzy Pan w powtórki?

Nie mogłem znaleźć używanej piżamy, więc wziąłem czystą z szuflady. A może sypia Pan nago? Nie chciałem ryzykować. Przecież nie możemy dopuścić, żeby Pan dostał zapalenia płuc.

Dziękuję za wszystko.

KENNETH"

George siedzi na łóżku i czyta, lekko zniecierpliwiony, niczym generał, który przejrzał jakąś niepotrzebną depeszę, pozwala kartce upaść na podłogę, a sam wstaje, idzie do łazienki, opróżnia pęcherz, nie patrzy w lustro, nawet nie zapala światła, wraca do łóżka, kładzie się, wyłącza nocną lampkę.

Mały kawalarz, myśli, zresztą bez cienia resentymentu. Równie dobrze mógł nie zostawać.

Ale potem, kiedy leży po ciemku na wznak, coś przeszkadza mu zasnąć: pulsowanie krwi i dreszcz w lędźwiach. To alkohol świerzbi go w tym miejscu.

Leżąc po ciemku, wyobraża sobie, jak Kenny i Lois jadą samochodem, każe im dojechać do Camphor Tree Lane, zaparkować w połowie ulicy, przejść po cichu przez mostek, otworzyć drzwi – skrzypią, ona chichocze – obijać się o meble w salonie – Japoneczka wydaje ostrzegawczy okrzyk – pójść na palcach na górę, bez zapalania światła...

Nie – to się nie uda. George próbuje wielokrotnie, ale w żaden sposób nie umie wprowadzić Lois na górę. Za każdym razem ona jakby się dematerializuje. (I teraz wie, jest absolutnie pewien, że Kenny nigdy jej nie nakłoni nawet do tego, by przekroczyła próg tego domu).

Ale teraz gra się zaczęła i George nie jest jej w stanie zatrzymać. Trzeba znaleźć Kenny'emu partnera.

Więc George zastępuje Lois seksownym złotym kociakiem, Meksykaninem tenisistą. Jego bez trudu udaje się zaprowadzić na górę! Teraz tenisista i Kenny są razem w dużym pokoju. George słyszy, jak pasek opada na podłogę. Rozbierają się do naga.

Krew intensywnie pulsuje w lędźwiach. Ciało budzi się i nabrzmiewa, rozgrzane do czerwoności. Piżama spada z niego, potem z łóżka.

George słyszy, jak Kenny szepcze do Meksykanina:

– Chodź, mały!

Stając się niewidzialnym, wchodzi do dużego pokoju. Tamci dwaj właśnie mają iść do łóżka...

Nie. To się też nie uda. George ma zastrzeżenia do podejścia Kenny'ego. Nie traktuje on swego podniecenia poważnie – wygląda wręcz na to, że za chwilę wybuchnie śmiechem. Szybko – potrzebujemy kogoś innego. George pośpiesznie zamienia Kenny'ego na wysokiego blondyna z kortu tenisowego. Och, znacznie lepiej. Znakomicie! Teraz mogą się objąć. Teraz zaczynają się namiętne, zwierzęce igraszki. George pochyla się nad nimi, patrzy; potem zaczyna przenikać ich falujące, dyszące ciała. Jest którymś z nich. Jest oboma naraz. Ach – jak dobrze! Ach! Ach!

Ty stary idioto, myśli o sobie George. Ale się nie wstydzi. Przemawia do sflaczałego teraz i spoconego ciała z pełną tolerancji dobrodusznością, jak do starego żarłocznego psa, który pożarł właśnie kawał mięsa dużo większy, niż mu to było potrzebne. Może teraz pozwolisz nam zasnąć, co? Ręka sięga pod poduszkę i chusteczką wyciera brzuch.

Kiedy sen powoli się nad nim rozsiewa, George zadaje sobie pytanie, czy w poniedziałek podczas wykładu nie będzie się wstydził spojrzeć Kenny'emu w oczy.

Nie, na pewno nie. Nawet jeśli powiedział Lois (w co wątpię): „Rozebrałem go i położyłem do łóżka, był pijany jak skunks". Ponieważ wówczas musiałby jej też opowiedzieć o pływaniu: „Szkoda, że go nie widziałaś w wodzie, dokazywał jak dzieciak, jak wariat! Powiedziałem mu, że nie powinno się go puszczać samopas".

George uśmiecha się do siebie, w pełni samozadowolenia. Tak, myśli, jestem wariatem. To mój sekret, to moja siła.

– I będę jeszcze większym wariatem – oświadcza. – Tylko na mnie popatrzcie – wy tam! Wiecie co? Na Boże Narodzenie lecę do Meksyku! Zakład? Dzisiaj rano rezerwuję bilet!

Zasypia z uśmiechem na ustach.

Następnie – częściowe wynurzenia. Częściowe wychynięcia nad pokryte prześcieradłem spokojne wody. Większa część George'a pozostaje pogrążona we śnie.

Częściowo wynurzony mózg, w spoczywającej na poduszce czaszce, działa mrocznie – nie tak, jak za dnia. Nie jest na razie zdolny do podejmowania decyzji. Ale, być może z tego właśnie powodu, w obecnym stanie może sobie uświadamiać pewne decyzje, które najwidoczniej nie zostały powzięte. Decyzje, co są jak kodycyle, potajemnie podpisane, parafowane przez świadków i odłożone w najskrytsze miejsce w oczekiwaniu na godzinę wykonania.

W dzień George mógłby podważać kompetencje podmiotu podejmującego decyzje, ale rano nie będzie mu wolno pamiętać odpowiedzi.

A jeśli Kenny się przestraszył? Jeśli już nie wróci? Niech nie wraca. George go nie potrzebuje, jak i całej reszty. Nie szuka syna.

A jeśli Charlotte wróci do Anglii?

Poradzi sobie bez niej, jeśli będzie trzeba. Obejdzie się bez siostry.

Czy George wróci do Anglii?

Nie. Zostanie tutaj.

Z powodu Jima?

Nie. Jim teraz należy do przeszłości. George'owi na nic się już nie może przydać.

Ale George go tak wiernie pamięta.

George przymusza się, żeby pamiętać. Boi się, że zapomni. Mawia: Jim to moje życie. Ale będzie musiał zapomnieć, jeśli chce dalej żyć. Jim to śmierć.

Więc dlatego George nadal tu mieszka?

Tutaj znalazł Jima. Wierzy, że także tutaj znajdzie drugiego Jima. Nie wie o tym, ale już zaczął szukać.

Czemu George sądzi, że go znajdzie?

Wie tylko, że musi go znaleźć. Wierzy, że znajdzie, bo musi.

Ale George się starzeje. Czy wkrótce nie będzie za późno?

Nigdy nie używaj tych słów w rozmowie z George'em. On ich nie słucha. Nie śmie słuchać. Cholerna przyszłość. Niech ją sobie wezmą Kenny i jego rówieśnicy. Charley niech zatrzyma przeszłość. Dla George'a liczy się tylko Teraz. Teraz musi znaleźć drugiego Jima. Teraz musi kochać. Teraz musi żyć...

Na razie mamy oto ciało, znane jako ciało George'a, śpiące na jego łóżku i całkiem głośno chrapiące. Wilgoć oceanicznego powietrza szkodzi jego płucom; ponadto chrapie jeszcze głośniej po wypiciu. Jim zazwyczaj budził je kuksańcem, obracał na bok, a czasem wściekły wychodził z łóżka i kładł się spać w dużym pokoju.

Ale czy cały George jest tu teraz obecny?

Parę kilometrów na północ, w skałkach wulkanicznych u stóp wybrzeża, znajduje się wiele skalnych basenów wodnych. Można je zwiedzać podczas odpływu. Każdy basen jest osobny, inny od pozostałych i przy odrobinie fantazji można im ponadawać nazwy, na przykład George, Charlotte, Kenny, Pani Strunk. Tak jak o George'u i o innych myśli się, dla ułatwienia, w kategoriach odrębnych istot, tak i o basenie skalnym można mówić jako o istocie, którą, oczywiście, nie jest. Wody jego świadomości – jeśli można tak powiedzieć – roją się od zabieganych lęków, posępnych żądz, niepokojąco żywych przeczuć, starych, zaskorupiałych, czepiających się stałego gruntu uporów, głębinowych nieujawnionych sekretów, złowieszczych proteuszowych organizmów, które poruszają się tajemniczo, może ostrzegawczo, w stronę światła powierzchni. Jak to się dzieje, że takie mnóstwo stworzeń współżyje ze sobą? Bo muszą. Skały basenu stanowią ich świat. A one, w czasie dziennego odpływu, innego świata nie znają.

Ale ten długi dzień w końcu dobiega końca – ustępuje miejsca nocnemu przypływowi. I tak jak wody oceanu napływają i mącą wody basenów, tak na George'a i innych pogrążonych we śnie napływają wody tego innego oceanu – świadomości, która nie jest w szczególności nikim, ale która obejmuje wszystkich i wszystko, przeszłość, teraźniejszość i przyszłość, i sięga nieprzerwanie ponad najdalsze gwiazdy. Możemy przypuszczać, że pod osłoną mroku przypływ wygarnia niektóre stworzenia z basenu, unosząc je na głębokie wody. Ale czy potem, kiedy powraca pora dziennego odpływu, przynoszą jakąś zdobycz? Czy tak lub inaczej umieją nam opowiedzieć o swojej podróży? I w ogóle, czy miałyby o czym opowiadać – poza tym, że wody otwartego oceanu nie różnią się w istocie od wód basenu?

W ciele, które leży na łóżku, pracuje wciąż wielka pompa, która nie potrzebuje wypoczynku. W tym miarowo pulsującym motorze ekipa naprawcza wciąż dokonuje niezbędnych modyfikacji. Jeśli chodzi o to, co się dzieje na samej górze, wiedzą niewiele, wyjąwszy alarmy, na ogół fałszywe: czerwone światła rdzenia mózgowego, którym lakonicznie przeczą zielone światła zrównoważonej kory. Ale w tej chwili stanowisko kontrolne sterowane jest automatycznie. Kora drzemie, rdzeń mózgowy rejestruje jedynie sporadyczne koszmary senne. Wszystko przemawia przeciwko jakiemuś wypadkowi. Ten pojazd ma zdumiewająco długi okres bezwypadkowej jazdy.

Niemniej jednak załóżmy...

Weźmy konkretną chwilę, przed laty, kiedy to George wszedł do knajpy „Pod Sterburtą" i jego oczy po raz pierwszy spoczęły na Jimie, który nie był jeszcze zdemobilizowany i wyglądał nad podziw dobrze w mundurze marynarki wojennej. Załóżmy zatem, że w tamtej chwili, w zakamarkach tętnicy wieńcowej George'a, rozpoczął się niezwykle powolny proces. W jakiś sposób – żaden lekarz nie umie nam powiedzieć dokładnie jak – wewnętrzne ścianki zaczynają twardnieć. A na stwardniałej powierzchni gładkiego śródbłonia zaczynają się odkładać jony wapnia... W ten sposób, niewidzialnie, z największą dyskrecją i bez wiedzy tych starych nudziarzy w mózgu zawiązuje się niemal nieprzyzwoicie melodramatyczna sytuacja: formowanie się cysty kaszakowej.

Załóżmy to, tylko załóżmy. (Ciało na łóżku nadal chrapie). Cała rzecz jest niezwykle mało prawdopodobna. Można się założyć o tysiące dolarów, że nie będzie miała miejsca, tej nocy ani żadnej innej. A równocześnie mogłaby się zdarzyć, całkiem realnie, w ciągu najbliższych pięciu minut.

Bardzo dobrze – załóżmy, że to ta noc, ta godzina, wyznaczona minuta.

Teraz.

Leżące na łóżku ciało być może porusza się lekko – ale nie krzyczy, nie budzi się. Nie widać zewnętrznych oznak natychmiastowego, unicestwiającego wstrząsu. Kora i rdzeń mózgowy gasną jak uduszone przez indiańskiego wojownika. Pozbawione tlenu serce zamiera i staje. Płuca mrą, pozbawione zasilania. W całym ciele zwierają się tętnice. Gdyby blokada nie była zupełna, gdyby zator zdarzył się w jednym z węższych odgałęzień, ekipa naprawcza dałaby z nim sobie może radę – umie przecież czynić cuda. Mając dość czasu, mogłaby wyznaczyć obiegi zastępcze, uruchomić dodatkowe linie komunikacyjne, zabliźnić uszkodzony obszar. Ale teraz nie ma czasu. Ekipa naprawcza umiera bez ostrzeżenia na posterunku.

Być może przez parę minut życie kołacze się jeszcze w tkankach jakichś dalszych rejonów ciała. Potem światełka gasną, jedno po drugim, i zalega zupełny mrok. I gdyby jakaś część nieistoty, którą nazywaliśmy George'em, była naprawdę nieobecna w chwili ostatecznego wstrząsu, gdyby wędrowała po głębokich wodach, po powrocie stwierdziłaby, że jest bezdomna. Nie mogłaby bowiem zjednoczyć się z tym, co tu leży na łóżku i nie chrapie. To coś jest teraz kuzynem śmieci w pojemniku przy tylnych drzwiach. I jedno, i drugie trzeba będzie usunąć i zlikwidować, i to wkrótce.